VÁ EM FRENTE

ROMI NEUSTADT

VÁ EM FRENTE

Um plano claro e sem enrolação para montar um negócio lucrativo de marketing de rede

Construir um negócio de vendas bem-sucedido não tem a ver só com o desenvolvimento do negócio. Tem a ver com o *seu* desenvolvimento.

SEXTANTE

Título original: *Get Over Your Damn Self*

Copyright © 2016 por LifeFullOut Media
Copyright da tradução © 2019 por GMT Editores Ltda.

Todos os direitos reservados. Nenhuma parte deste livro pode ser utilizada ou reproduzida sob quaisquer meios existentes sem autorização por escrito dos editores.

tradução: Beatriz Medina
preparo de originais: Raïtsa Leal
revisão: Rafaella Lemos e Tereza da Rocha
diagramação: Valéria Teixeira
capa: Filipa Pinto
impressão e acabamento: Cromosete Gráfica e Editora Ltda.

CIP-BRASIL. CATALOGAÇÃO NA PUBLICAÇÃO
SINDICATO NACIONAL DOS EDITORES DE LIVROS, RJ

N417v   Neustadt, Romi
        Vá em frente: um plano claro e sem frescura para montar um negócio lucrativo de marketing de rede/ Romi Neustadt; tradução de Beatriz Medina. Rio de Janeiro: Sextante, 2019.
        256 p.; 14 x 21 cm.

        Tradução de: Get over your damn self
        ISBN 978-85-431-0820-9

        1. Marketing de rede. 2. Marketing direto. 3. Sucesso nos negócios. 4. Empreendedorismo. I. Medina, Beatriz. II. Título.

19-58519   CDD: 658.84
                                                                CDU: 658.8

Todos os direitos reservados, no Brasil, por
GMT Editores Ltda.
Rua Voluntários da Pátria, 45 – Gr. 1.404 – Botafogo
22270-000 – Rio de Janeiro – RJ
Tel.: (21) 2538-4100 – Fax: (21) 2286-9244
E-mail: atendimento@sextante.com.br
www.sextante.com.br

Para Nate e Bebe: Obrigada por me darem a profissão mais difícil e mais gratificante do planeta e por serem meus melhores professores. Que vocês sempre compartilhem seus dons e sua luz para terem uma vida plena e fazerem do mundo um lugar melhor.

Para John: Amor da minha vida, obrigada por me ajudar a me tornar a mulher que eu sempre quis ser. E por amar tudo em mim. Até as partes não tão boas.

Para você, Leitora: Obrigada por ousar criar a vida que você realmente deseja. Sua coragem e sua garra, além de lhe permitirem atingir a grandeza, também inspirarão os outros a fazer o mesmo. Obrigada por acreditar que você vale a pena, porque vale mesmo.

Para mim: Obrigada por não desistir de seu antigo sonho de escrever um livro. Por ter coragem de dar a cara a tapa na esperança de que isso ajude alguém. E por mandar as vozes negativas em sua cabeça calarem a boca. Sim, você comeu um balde inteiro de pipoca ontem à noite e se esqueceu de mandar os formulários do passeio das crianças devidamente preenchidos. Mas escreveu um baita livro! #vencedora

Sumário

Introdução	Vamos começar a festa	9
Capítulo 1	Por que as pessoas fracassam e por que você não vai fracassar	17
Capítulo 2	Por que você está aqui?	31
Capítulo 3	Sua lista é sua vida: que seja longa	49
Capítulo 4	Qual é sua história?	65
Capítulo 5	Como abri caminho até o primeiro milhão e como você também vai conseguir	81
Capítulo 6	Ela está interessada... E agora?	103
Capítulo 7	Discordo!	119
Capítulo 8	Ela não está muito na sua... Ou está?	127
Capítulo 9	A boa sorte está na continuidade	139
Capítulo 10	O segredo da duplicação	153
Capítulo 11	As bobagens que dizemos a nós mesmas	159
Capítulo 12	O carma é uma droga se você também for	179
Capítulo 13	Seu tempo vale muito	189

Capítulo 14	Cuide de você pelo caminho	203
Capítulo 15	Caso de família	223
Capítulo 16	#OMedoQueSeDane	237

Algumas palavras finais 245

Agradecimentos 249

Introdução

VAMOS COMEÇAR A FESTA

Se eu pudesse escolher como fazer isto, nós duas tomaríamos um café para eu lhe contar em detalhes tudo o que aprendi nos últimos seis anos. A gente se conheceria melhor e conversaria sobre marido, filhos, medos e desafios. Falaríamos sobre os negócios e sobre a vida.

Essa é minha parte preferida no meu trabalho. Eu aprenderia sobre você, e você, sobre mim. Uma ajudaria a outra a crescer, não apenas como donas de um negócio, mas como mulheres.

Infelizmente, isso não é possível. Quando comecei neste ramo, tinha a chance de inspirar todas as novatas, seja pessoal ou virtualmente. Mas quando minha equipe começou a crescer e a se transformar nas atuais dezenas de milhares de parceiras de negócios em vários países, não pude mais inspirar nem orientar todas as integrantes – quanto mais todas as pessoas que me procuravam.

Então este livro é a segunda melhor maneira de conseguirmos nos conhecer. Revisei tudo o que aprendi, todas as minhas experiências, boas e ruins, e reuni tudo para ajudar você a aprender a abrir caminho até a vida que realmente deseja.

Primeiro, vamos falar de você. Talvez tenha iniciado seu negócio há algumas semanas ou meses, talvez esteja no ramo há mais tempo. Não importa. No minuto em que abriu este livro, você estabeleceu um novo nível de comprometimento, foco, crescimento e (espero) diversão.

Talvez você seja uma mãe exausta em busca de uma estratégia para sair de um emprego que a obriga a se desdobrar em mil para equilibrar carreira e família. Talvez você tenha sido uma profissional cheia de energia que pôs a carreira de lado porque não conseguia ser uma mãe presente trabalhando fora, mas que agora está pronta para voltar a ter uma identidade além de mãe e esposa e a ganhar o próprio dinheiro. Ou talvez seja apenas uma mulher superinteligente que percebeu como é incrível a ideia de ter outra fonte de renda que pode crescer enquanto você dorme. Seja qual for sua história ou a razão pela qual entrou nesse negócio, acho que você vai ganhar muito com nosso tempo juntas. Ajudei milhares de mulheres iguais a você a construir riqueza – de fundos para estudos e viagens a uma renda extra para a aposentadoria e para finalmente terem a liberdade e a segurança que nunca imaginaram conquistar. Agora vou ajudar você a chegar aonde quer estar!

Escrevi este livro para lhe mostrar como criar o tipo de negócio que sua equipe vai abraçar e para ajudá-la a obter o apoio necessário para conquistar seus objetivos, não só nesta profissão, mas em todas as áreas da sua vida. Espero que, ao longo destas páginas, você sinta sua confiança aumentar e obtenha uma compreensão maior sobre como ser a líder que sua equipe merece ter. Todo mundo tem potencial para montar seu negócio dos sonhos. E isso também vale para você. Você pode ser a presidente bem-sucedida de sua própria empresa e, ao mesmo tempo, ter a vida que realmente deseja.

Vou lhe ensinar as habilidades e estratégias necessárias para construir um negócio lucrativo de marketing multinível. Ou de vendas diretas. Ou de marketing social. Ou de marketing de rede. Ou de comunidade de comércio ("*community commerce*"). Não importa como você prefere chamar: vamos trabalhar o entendimento dos conceitos básicos e analisar como executar com mais eficiência as atividades produtoras de renda. Mas, se isso fosse tudo o que há para saber sobre esse assunto, haveria muito mais histórias de sucesso, não é verdade?

Mas é preciso mais do que habilidade para alcançar um novo patamar e desenvolver uma grande organização. Também é importante ter compreensão da mentalidade e dos comportamentos necessários para atingir suas maiores metas. Esse negócio precisa de um cérebro, e eu vou dar uma sacudida no seu.

Construir um negócio de marketing multinível bem-sucedido não tem a ver só com o desenvolvimento do negócio. Tem a ver com o *seu* desenvolvimento. Pergunte aos maiores líderes do setor e eles lhe dirão que esse trabalho interior é ainda mais importante para alcançar os resultados financeiros e a liberdade de criar seu próprio horário.

Não vou perder muito tempo falando sobre mídias sociais, porque há livros inteiros sobre isso. Também não falo sobre eventos, porque suponho que você e sua *upline* – quem está acima de você – já possuiu um modelo bem-sucedido para realizar eventos específicos para sua empresa e seus produtos. O que compartilho aqui é tudo o que sei sobre como estabelecer conversas mais autênticas e eficazes com as pessoas que você já conhece e com as que vai conhecer. E sobre como reconfigurar as conversas mais importantes: aquelas que você tem consigo mesma.

Já que vai me deixar dar uma chacoalhada na sua vida, você precisa conhecer um pouco de mim. Provavelmente não sou muito diferente de você. Tenho dois filhos lindos, Nate e Bebe, e sou casada com John, o amor da minha vida. Eu trabalhava em grandes empresas – primeiro como advogada (o que detestava com todas as forças) e depois como executiva de relações públicas premiada em Nova York e Seattle. John é médico (o que deixou minha mãe judia muito orgulhosa) e tinha um consultório bem-sucedido.

Apesar de nós dois trabalharmos muito, tínhamos o suficiente, mas não avançávamos na vida. Os fundos destinados à aposentadoria e à universidade dos nossos filhos não cresciam, não tínhamos tempo livre para passar com as crianças e estávamos ambos amarrados ao modelo de pagamento por serviços prestados. Ficávamos à disposição dos clientes e pacientes e, se não trabalhássemos, não recebíamos nada.

Depois de 12 anos fazendo praticamente todos os tipos de trabalho de relações públicas que existem, eu sentia um tédio absurdo. Queria viver uma aventura. Queria que meus ganhos ultrapassassem aquele teto de vidro no qual eu sempre batia. Queria uma vida mais rica – mais dinheiro, claro, mas também maior flexibilidade de tempo para mim e para minha família, além da chance de causar impacto positivo nos outros.

É incrível o que o universo nos traz quando pedimos. Conheci minha futura empresa por intermédio de um cliente de relações públicas que eu tinha na época. Imediatamente me entusiasmei com a ideia de me juntar a uma marca global já estabelecida e montar meu próprio negócio sem ter que me preocupar em construir toda a infraestrutura. John e eu concordamos que eu tinha que fazer isso.

Quando comecei, eu não tinha tempo para nada. Nate tinha 3 anos, Bebe, 6 meses; eu administrava uma próspera consultoria de relações públicas com muitos clientes, participava de comissões de organizações sem fins lucrativos, dava aula na escola de hebraico, ajudava John em algumas questões do consultório e de sua startup de suplementos alimentares, oferecia auxílio constante à minha mãe idosa e tentava emagrecer. Mas, como se não fosse o bastante, assumi ainda mais tarefas!

Eu era treinável e persistente, e trazia de três a cinco novas parceiras de negócios e um punhado de clientes por mês. No primeiro ano, fui nomeada Recrutadora-Mor da empresa e já tinha uma renda anual de seis dígitos. Com menos de dois anos e meio no negócio, John conseguiu largar o consultório para dedicar todos os seus esforços profissionais à sua startup e ser um pai mais presente. Antes de completar três anos, menos do que o tempo que levei para cursar a faculdade de direito, eu já tinha ganhado 1 milhão de dólares.

Com quatro anos, a empresa de suplementos de John exigia pouco dele, e ele pensou em reabrir o consultório. Para sorte minha e de nossa equipe, ele acabou decidindo que causaria mais impacto trabalhando comigo. Então pulou a bordo também.

Agora com uma renda *mensal* de seis dígitos, passamos a ganhar muito mais do que conseguiríamos com a medicina ou no mundo corporativo. E ainda mais valiosa do que o dinheiro é a flexibilidade total em todos os aspectos da nossa vida, que nos permite colocar Nate e Bebe em primeiro lugar e retribuir nossas conquistas investindo em causas que nos falam ao coração. Nós dois nos apaixonamos por este modelo de negócio. Para ter sucesso, ele exige que ajudemos os outros a terem sucesso e a construírem o próprio negócio e a vida de seus sonhos. Com a dádiva desta profissão, encontramos um novo propósito de vida e uma profunda satisfação pessoal.

John e eu temos muitíssimo orgulho das dezenas de milhares de integrantes de nossa equipe que ousam acreditar que realmente é possível ter o seu próprio negócio e usufruir dele. Essas sonhadoras divertidas e visionárias se tornaram uma família, e não conseguimos imaginar a vida sem elas e sem nosso trabalho.

Incluí neste livro a história de algumas delas porque há muito a aprender com cada uma.

Portanto, depois de mais de seis anos nesta aventura, eu soube que estava na hora de compartilhar o que havia aprendido. Por ser o tipo de mulher que não gosta de enrolação, não vou dourar nenhuma pílula. Isto é um negócio e, se quer mesmo aprender o que é necessário para ele crescer, você veio ao lugar certo. Mas vou lhe pedir que seja corajosa e verdadeira. É preciso estar disposta a ser franca consigo mesma e a fazer o que vou lhe pedir que faça. Se tiver coragem suficiente, prometo que vai valer a pena.

Por falar em coragem, embora eu também seja formada em jornalismo e tenha escrito muito em minha carreira, este é meu primeiro livro. Sinceramente, escrevê-lo me deixou apavorada. Mas, como vou lhe ensinar (e prometo nunca lhe pedir que faça algo que eu não faria), a vida começa no limite de nossa zona de conforto e continua se expandindo para fora. Portanto, aí vai.

Espero que você perceba a sorte absurda que tem por estar neste setor. No marketing multinível, decidimos como é a nossa vida e ajudamos os outros a fazerem o mesmo. Viajar, ter tempo para os filhos, envolver-se nas causas que a sensibilizam... Você está num setor que pode lhe dar tudo isso.

Quando eu estava no seu lugar, não entendia direito aonde isso levaria a mim ou minha família. Mas sou a prova viva de que ganhar uma renda mensal de seis dígitos é possível – para mim e para você também. De que ganhar dinheiro suficiente para permitir que seu cônjuge busque exatamente o que ele deseja é possível. De que planejar sua vida em torno dos filhos é possível. E de que viajar para os lugares que você quer visitar antes de morrer é possível. E, finalmente, de que doar seu tempo a causas importantes e doar mais dinheiro do que ganhava antes também é possível. Se você não está pensando grande assim, se não está pensando em possibilidades ilimitadas, está na hora de começar. E vou ajudá-la a chegar lá.

Vamos!

Um beijo,

Capítulo 1

POR QUE AS PESSOAS FRACASSAM E POR QUE VOCÊ NÃO VAI FRACASSAR

Parabéns, você é a presidente de seu próprio negócio! É verdade, e você não precisa fazer todo o trabalho pesado que o presidente de empresas tradicionais tem que enfrentar. Neste ramo, não precisamos construir infraestrutura, encontrar fabricantes ou fornecedores de matérias-primas. Não temos que desenvolver canais de distribuição, construir uma plataforma tecnológica, contratar uma equipe de marketing, montar um departamento de RH nem nenhuma das outras zilhões de coisas necessárias para construir do zero uma empresa tradicional de produtos ou serviços. Só precisamos conversar com gente – e dividir com elas nosso amor por nossos produtos e nossa empresa.

Se é fácil assim, talvez você pergunte por que precisa deste livro. E talvez questione por que mais gente em nosso setor não ganha salários milionários.

Mas eu não disse que era "fácil". Este negócio é tudo menos FÁCIL. É difícil. Muito difícil. Vai colocá-la à prova de um jeito que nunca imaginou. Terá muitos altos e baixos. Exigirá que vá fundo, aprenda a ser resiliente e a ser clara sobre quem é e o que defende. Será uma montanha-russa que às vezes fará você pensar que vai ser arremessada longe e outras vezes lhe dará vontade de jogar tudo para o alto.

Eu já disse que não gosto de enrolação. Se você busca uma versão romantizada deste negócio, veio ao lugar errado. A realidade é que ele vai pôr você à prova, exatamente como qualquer outra meta que valha a pena. Quer competir no triatlo? É melhor estar disposta a treinar, treinar e treinar mais um pouco. E a suar. Muito. Quer criar filhos felizes e saudáveis? É melhor estar preparada para ser testada muitas e muitas vezes e disposta a aprender sobre seus pontos fracos, a se esforçar e a crescer (e a ganhar um monte de cabelos brancos). Quer criar um negócio milionário? Quer mesmo chegar lá? Então é melhor estar disposta a colocar a mão na massa, se esforçar e trabalhar duro, nos bons e nos maus momentos.

Não. Este negócio não é fácil. Mas é simples. Risível de tão simples. Falamos de nossa empresa e dos nossos produtos. E as pessoas com quem falamos se encaixam em três baldes.

Os três baldes

O primeiro balde contém as pessoas que querem se tornar nossas clientes. Elas fazem pedidos, se apaixonam por nossos produtos ou serviços e continuam fazendo pedidos. Tornam-se anúncios ambulantes e recomendam nosso negócio.

Há outras pessoas que enxergam o nosso trabalho por uma perspectiva empresarial e entram para nossa equipe. Essas se encaixam no segundo balde. Nele cabem aquelas que pulam no barco imediatamente e aquelas que são clientes satisfeitas até que um dia percebem – embora já lhes tivéssemos dito – que, em vez de recomendar pessoas a outras, poderiam estar criando outra fonte de renda para si mesmas e sua família. Então elas se transformam em consultoras e entram para a equipe. Qualquer uma que embarque aprende esse sistema simples e duplicável. Nós a ensinamos a fazer exatamente o que fazemos: conversar com as pessoas e acrescentar clientes e integrantes à equipe.

Existem ainda outras pessoas que não estão interessadas em nossa empresa nem em nossos produtos e serviços, e ficam no terceiro balde. Pedimos a elas que nos coloquem em contato com pessoas de sua rede que possam se identificar com a empresa. Eles se tornam fontes de indicações.

Continuamos fazendo isso dia a dia, mês a mês, e, depois de alguns anos nos dedicando e trabalhando de forma consistente, temos um negócio próspero capaz de proporcionar o que quisermos: fundos destinados a férias, à universidade e à aposentadoria ou mesmo a chance de trocar de carreira e mudar de vida.

Esse é nosso negócio. E só. Levei apenas quatro parágrafos curtos para explicá-lo. É simples assim. Mas, novamente, você pode perguntar: se é tão simples, por que não há mais gente nessa profissão com ganhos na casa dos seis ou sete dígitos? ESTA é a pergunta de 1 milhão de dólares – e que responderemos neste livro para ajudá-la a revelar seu maior potencial e criar o negócio e a vida dos seus sonhos.

As quatro razões para o fracasso

Depois de seis anos neste trabalho, aprendi as quatro razões do fracasso.

Razão nº 1: A pessoa não é treinável.
Já demonstramos que esse é um sistema bobo de tão simples. Não tem nada de complicado e qualquer um, não importa sua origem ou formação profissional e educacional, pode aprendê-lo.

No entanto, é necessário que estejamos abertos a isso. Quando alguém não tem sucesso, quase sempre é porque não está seguindo o sistema – porque não confia nele ou é tão arrogante que acha que consegue fazer melhor do seu jeito.

Cheguei a esta profissão com um diploma de jornalismo, um período breve porém bem-sucedido como advogada e uma carreira premiada na área de relações públicas. Pode-se argumentar que eu tinha prática profissional e sabia o que fazer para dar certo. Mas, como muitos que chegam ao marketing multinível, eu não tinha experiência alguma nessa área e sabia que precisava fazer todo o possível para aprender. Fiz o que os integrantes bem-sucedidos de minha *upline* me sugeriram: aproveitei os recursos de minha empresa e me tornei uma aprendiz da profissão. Fiz exatamente o que me ensinaram. Depois de aprender o básico, pude acrescentar minha personalidade, meu estilo e minha experiência à mistura, mas só quando eu já sabia o que estava fazendo.

Eu entraria numa audiência para entrevistar uma possível testemunha sem antes conhecer os procedimentos? Escreveria meu primeiro comunicado à imprensa sem antes aprender o que precisa constar nele e como redigi-lo? Admito que minha décima audiência foi muitíssimo melhor do que a primeira e que, depois de escrever comunicados à imprensa durante três meses, eu fazia isso praticamente de olhos fechados. Mas no começo eu aprendi o SISTEMA. E com este negócio não é diferente.

Quer você seja novata, quer já esteja trabalhando há algum tempo e o resultado não seja o esperado, comprometa-se a ser 100% treinável.

Comprometa-se a ser 100% treinável.
Declare isso agora mesmo.

> **Entre em ação**
>
> Declare agora mesmo, onde quer que esteja, mesmo que seja num avião, no cabeleireiro com um monte de papel-alumínio na cabeça ou na cama ao lado do marido adormecido: "Sou 100% treinável!"

Declarou? Afirmou "Sou 100% treinável"? Porque, se declarou, então já superou o primeiro obstáculo ao sucesso. Passou pelo primeiro teste.

Se não – e não quero que você declare se não acredita real e completamente nisso –, não siga adiante. Pare. Deixe o livro de lado, ou melhor, presenteie-o a alguém que queira ajuda. Alguém que se disponha a ser 100% treinável.

Por que ser treinável é tão importante? Porque, se não for treinável, você não falará com pessoas suficientes. Eu vi isso acontecer várias e várias vezes, tantas que perdi a conta, e sei que é um fato inquestionável. Sei que é uma verdade indiscutível. Portanto, quando digo que você tem que conversar com as pessoas O TEMPO TODO, não estou brincando!

As *não treináveis*, como gostamos de chamá-las, se recusam a implementar ferramentas comprovadas de construção de negócios que as ajudam a expor sua rede ao que está sendo oferecido e a conduzir as pessoas pelo funil até fechar o negócio. Portanto, se você for uma das não treináveis, repito, faça o favor de largar este livro. Ele não é para você.

Mas, se você for treinável, continue lendo. Ser treinável é o primeiro passo, mas é apenas parte da história. Ela não acaba quando você aprende o básico. Tornar-se uma marqueteira multinível profissional, uma empreendedora de sucesso, uma profissional de vendas diretas ou seja lá o nome que se dê, exige que você se torne uma aprendiz da profissão e embarque numa busca infindável para descobrir como fazer melhor o que fazemos. Portanto, mãos à obra, porque esta é uma viagem longa, sinuosa e maravilhosamente empolgante, cheia de aprendizado, crescimento e evolução.

Razão nº 2: A pessoa não trata o negócio como um negócio. Provavelmente você já ouviu falar deste fato provado e comprovado: se tratar seu negócio como um passatempo, ele pagará como um passatempo. Mas, se o tratar como uma empresa de verdade, ele pode pagar como uma empresa. Não acho que as pessoas realmente acreditem que este é um golpe do tipo "fique rico rápido" ou que o dinheiro vá cair do céu. Só acho que muita gente começa o próprio negócio achando que é um modelo pronto que não exige a mesma persistência e dedicação que os outros.

Dê um exemplo de algum executivo que tenha construído uma empresa milionária bem-sucedida e não se dedique constantemente a ela, e eu mesma vou lhe mandar um presente. Ou me mostre um exemplo de alguém que tenha arranjado um emprego, só tenha ido trabalhar quando deu vontade e não tenha sido demitido. Vamos cair na real: isso pode até se chamar marketing de **rede**, mas não tem nada a ver com **preguiça**!

A beleza da coisa é que, em nossa profissão, não é preciso dedicar 40 ou 50 horas por semana, toda semana, para ter grandes ganhos. No entanto, há algumas atividades produtoras de renda (APR) que você precisa realizar TODA semana. Mesmo quando estiver cansada, desanimada, desapontada, frustrada e prestes a arrancar os cabelos. Falaremos disso mais adiante.

Para transformar sua iniciativa num negócio de sucesso, é preciso torná-lo uma prioridade e levá-lo aonde for. Se tivesse uma loja de varejo em vez de um negócio virtual, você iria à loja física, abriria as portas e começaria a trabalhar. Como espera estar aberta para o negócio se não abre as portas do cérebro e da agenda? Nesta profissão, toda vez que sua boca se fecha, sua empresa também fecha.

> Para transformar sua iniciativa num negócio de sucesso, é preciso torná-lo uma prioridade e levá-lo aonde for.

Nestas páginas, falaremos muito sobre como organizar seu cronograma. Você deve dedicar pelo menos 80% de seu tempo a seus negócios pessoais: conversar com as pessoas, descobrir aquelas que querem se tornar clientes, prestar a elas o melhor serviço possível, encontrar as que querem entrar para a equipe e treinar as novatas (que estão nos primeiros 30 dias do negócio). Chamamos isso de "se pagar primeiro antes de continuar crescendo". Dedique 10% do tempo a ligações triangulares com sua equipe (mal posso esperar para ensinar a ferramenta mais poderosa que temos para o fechamento do negócio!) e os outros 10% a seu treinamento pessoal (participar de ligações ou *webinars* de treinamento, comparecer pessoalmente a eventos específicos) e à formação de suas parceiras não novatas.

Por exemplo, se você dedica 15 horas por semana a seu negócio, pelo menos 12 horas irão para seus negócios pessoais (prospecção e treinamento de novatas), 1,5 hora para as ligações triangulares e 1,5 hora para seu treinamento pessoal e o das não novatas. Você deve estar surpresa por gastar tão pouco tempo treinando os outros, porém mais tarde descobrirá por que essa fórmula de alocação de tempo é tão importante para continuar crescendo sem pisar no freio ou mesmo destruir tudo.

Como nosso negócio é afortunadamente flexível para acomodar os fatos da vida, podemos alocar essas horas segundo nossas necessidades. Mas elas têm que acontecer! Se você perder a hora de dar um telefonema pela manhã porque a babá ficou doente, o cachorro fez cocô no tapete e a máquina de lavar quebrou, tudo bem. Apenas compense essa hora mais tarde ou no dia seguinte.

Por falar em babás, sempre acho graça quando uma dona de casa com filhos que ainda não estão na escola acha possível montar um negócio rentável só com a horinha diária do cochilo das crianças. Sim, essa hora pode ser muitíssimo produtiva e é claro que você deve aproveitá-la. Como discutiremos adiante, é muito divertido fazer ligações e encher seu funil enquanto faz coisas com os filhos no decorrer do dia. Mas não é realista pensar que não precisará de um tempo sem interrupções. Investir numa babá algumas horas por semana pode fazer uma diferença exponencial em seu sucesso a longo prazo. Lembre-se: você é a presidente de sua própria empresa. Você conhece alguma mãe de crianças pequenas que tenha se tornado uma CEO de sucesso, ainda mais de uma empresa iniciante, e que não tivesse pelo menos algumas horas por semana de creche ou babá para se concentrar em seu negócio sem ser interrompida? Se encontrar alguma, por favor, me avise.

Razão nº 3: A pessoa não está disposta a ficar pouco à vontade. Este negócio exige que você esteja à vontade em se sentir desconfortável – pelo menos no começo. A maioria de nós nunca fez este tipo de trabalho, e podemos ficar constrangidas e nos sentir vulneráveis. Com frequência, as novas consultoras se escondem, dizendo que estão se preparando, porque é mais seguro não se expor. Já vi várias integrantes da equipe nunca terem a oportunidade de alcançar o sucesso por não se permitirem levantar voo. Ocupavam-se montando pastas de informações, arrumando o escritório, criando um sistema de arquivamento codificado por cores e escrevendo e reescrevendo sua lista de contatos.

> Este negócio exige que você esteja à
> vontade em se sentir desconfortável.

Elas ficam treinando a conversa em vez de conversar de fato com as pessoas, supondo que precisam parecer líderes experientes. Este não é o tipo de iniciativa em que você estuda sem parar e depois aplica o que aprendeu. Só funciona se você se permitir "avançar enquanto aprende", confiando no sistema e nas pessoas que vieram antes de você. Todas nós temos que cair algumas vezes nesses primeiros meses antes de pegar o jeito.

Então, depois de um pequeno sucesso, seguido por um ou dois tropeços, é comum ver as consultoras passarem a se dedicar apenas à gestão da equipe que já têm em vez de continuarem trabalhando para fazê-la crescer. Mas seu negócio não continuará crescendo se você parar de se esforçar o tempo todo. E isso significa que você vai cometer erros. Porém eu sei, por experiência própria, que a gente só cresce de verdade quando se dispõe a cometer erros e a aprender com eles. Como digo a meus filhos: "Quando não erra, você não está se desafiando nem se esforçando o suficiente."

Razão nº 4: A pessoa não tem fome suficiente.
Essa é a maior das razões e é epidêmica em nosso setor. Já tive montes de parceiras de negócios que tiveram acesso a um treinamento excelente, não só comigo, mas com líderes excepcionais de nossa equipe e do restante da empresa. Eram treináveis e estavam dispostas a aprender. Eram até persistentes... por algum tempo. Então algo acontece. Aquela coisa chamada vida. Ela atrapalha. Os filhos adoecem, chega um grande projeto no emprego regular. Estão cansadas. Há um episódio maravi-

lhoso da série favorita. E seu negócio cai de posição na lista de prioridades.

A vida nos acontece todos os dias. Todas trabalhamos com as mesmas 24 horas. Então por que algumas pessoas param de se dedicar a seu negócio por causa das dificuldades da vida enquanto outras continuam trabalhando apesar de todos os problemas?

Porque temos fome. E falo de fome de verdade. Aquele tipo de fome de quem não comeu nenhum carboidrato em seis meses.

Eu estava faminta. Não literalmente, mas não levava a vida que queria para mim, meu marido e nossos filhos. De repente, essa realidade caiu como uma tonelada de tijolos sobre meus ombros. Eu não conseguia achar uma saída da prisão de ser paga por serviço prestado e da rotina diária que me entediava e me conduzia a uma versão entorpecida de mim mesma.

Olhei à frente, cinco e dez anos no futuro, e fiquei morrendo de medo. Vi um futuro de sobrevivência, sem avanços. Sem dar a nossos filhos tudo o que queria para eles, e também sem conquistar as coisas com que John e eu tínhamos sonhado e conversado quando namorávamos, antes de ter filhos. Então, quando esta profissão caiu no meu colo, eu soube que seria nossa maneira de sair daquela vida sem graça.

Eu me dispus a fazer o que fosse necessário para construir aquilo. Tinha que dar certo. Mesmo enquanto precisava lidar com tudo ao mesmo tempo: a bebê, o menino pequeno, meus clientes de relações públicas, o trabalho voluntário, a ajuda à empresa de John, o auxílio à minha mãe idosa e a tentativa de emagrecer depois da gravidez. Mesmo assim, persisti – e sem elegância, aliás. Estava cansada, assustada, e muitas vezes fiquei decepcionada e desanimada. Mas houve grandes e pequenas vitórias que me deram breves vislumbres do que isso poderia realmente se tornar.

> Eu me dispus a fazer o que fosse necessário para construir aquilo. Tinha que dar certo.

Então continuei. Antes mesmo de ganharmos muito dinheiro, eu vi acontecer. Visualizei a liberdade que viria com comissões maiores, renda residual e a possibilidade de parar de trabalhar para os outros. Pude sentir a liberdade extraordinária que meu marido teria quando conseguisse se afastar de uma prática clínica que não amava mais para realizar um trabalho que alimentasse sua alma. Pude ver nossa família se divertindo nas férias em hotéis de luxo e pude sentir o gostinho doce de levar a vida como desejávamos. Eu queria tanto isso que nada – e quero dizer nada *mesmo* – me impediria de chegar lá.

Foi igual com minha amiga e parceira de negócios Tracy Willard. A família dela estava literalmente faminta. A Grande Recessão americana fizera a nova e empolgante empresa do marido falir e forçara a família a sobreviver com seu emprego mal pago de professora universitária numa instituição pequena. Com as contas se acumulando e muito mês no final do dinheiro, Tracy teve que recorrer aos programas de auxílio do governo para alimentar as filhas. A família foi obrigada a vender a casa rapidamente para evitar a execução da hipoteca e ir morar com os pais do marido. Completamente falida, ela precisou pedir um empréstimo aos pais para começar seu negócio.

Quando entrou em nossa equipe, Tracy estava tão desesperada para sair do fundo do poço que era 100% treinável, persistente e sempre colocava um pé na frente do outro, quaisquer que fossem os obstáculos. Ela trabalhava como voluntária em todos os seus minutos livres para que as filhas pudessem participar gratuitamente de atividades (porque não podia pagá-las), dava aulas e tentava manter a família unida (não apenas para sobreviver, mas para manter a família fisicamente unida). Apesar de tudo, Tracy teve lucro em seu primeiro mês. Em menos de dois anos, ela deixou de receber auxílio do governo e ganhou um carro de presente da empresa. A fome alimentou sua dedicação e sua persistência, e hoje Tracy e sua linda família vivem seus sonhos numa casa junto à praia, no sul da Califórnia.

Entenda, por favor, que não estou dizendo que você só terá sucesso neste setor se estiver no fundo do poço, incapaz de alimentar sua família. Mas é preciso descobrir *o que você realmente quer* e ainda não tem. Seja o que for, tem que ser importante a ponto de obrigá-la a fazer algo com dedicação e persistência. Tem que ser importante a ponto de fazê-la se levantar da cama, dar mais um telefonema, entrar em contato com mais uma pessoa e procurar mais um possível cliente – mesmo quando estiver um trapo de cansada. Porque, quando queremos muito alguma coisa, fazemos acontecer. É simples assim.

Agora que tiramos tudo isso do caminho...

Já deve estar claro por que algumas pessoas não têm sucesso. Talvez eu até tenha feito uma descrição que se aplica a você. E se você for mais fundo e começar a sonhar mais alto? E se sua fome empurrá-la para ações que, além de mudar sua vida e a de sua família, também inspirem os outros a mudar a própria vida?

> E se você for mais fundo e começar a sonhar mais alto? E se sua fome empurrá-la para a ação?

E se você aprender a aplicar o sistema muito bem, de modo a estar mais à vontade na hora de conversar com as pessoas sobre sua empresa e seus produtos?

E se conseguir aprender a pensar como a presidente de uma empresa milionária e a tomar decisões sobre seu tempo e sua equipe usando esse filtro?

Infelizmente, não posso torná-la treinável nem motivá-la. Isso tem que partir de você. Mas, nas páginas seguintes, posso treiná-la em todas as outras coisas. Portanto, vamos vestir nossa roupa de gente grande e mergulhar bem fundo. Deixe-me ajudá-la a cultivar algo de que você vai se orgulhar e que pode acabar mudando sua vida!

Se gostou da ideia, vá em frente!

Capítulo 2

POR QUE VOCÊ ESTÁ AQUI?

Se você já está nesta profissão há algum tempo, em algum momento do treinamento devem ter lhe pedido que descobrisse o PORQUÊ de querer montar um negócio. Alguns dizem que esse PORQUÊ tem que ser tão grande que nos faça chorar. Bem, não sei ao certo sobre o choro, mas, sem dúvida, seu motivo tem que ser grande a ponto de fazê-la dedicar-se persistentemente ao trabalho, semana após semana, mês após mês.

Existem tantas coisas na vida brigando pelo seu tempo e pela sua atenção que, se você não quiser muito fazer isso, não fará. Nunca será uma prioridade, e você ficará presa num círculo vicioso interminável: não trabalha em seu negócio porque ele não está ligado a algo que você queira de verdade, aí se pune por não trabalhar em seu negócio e não trabalha em seu negócio porque agora se sente culpada e fracassada por se punir por não trabalhar em seu negócio. Isso não é divertido nem lucrativo. Na verdade, fico exausta só de escrever.

Você sabe o PORQUÊ de querer montar seu próprio negócio? Tive muitas conversas nos últimos cinco anos com integrantes da equipe que se queixam de não conseguirem continuar dedicadas ao negócio nem praticar rotineiramente as atividades produtoras de renda que são necessárias para ver resultados. Quase toda vez, quando pergunto a elas POR QUE estão montando seu negócio, a resposta é alguma variação de "Não sei ao certo". Se você não consegue ver, se seu coração não bate mais forte, se algo no fundo da alma não se comove, posso jurar que não é suficiente para manter sua dedicação.

> Se você não consegue ver, se seu coração não bate mais forte, se algo no fundo da alma não se comove, posso jurar que não é suficiente para manter sua dedicação.

Quando descobrir seu PORQUÊ, você precisa contá-lo aos seus sócios e ao restante da sua equipe de apoio (cônjuge, melhor amiga, outros membros da família). Eles têm que saber seu PORQUÊ para poderem cobrar de você quando ficar difícil manter os olhos no prêmio.

Acredito muito que seu PORQUÊ pode não ser dinheiro, mas pode ser *o que o dinheiro fará por você*. E tem que ser algo profundamente pessoal. Trabalhei com muita gente cujo PORQUÊ era sobre outras pessoas. Talvez os filhos ou o marido. Pois vou lhe dizer aqui e agora que, para tirá-la da sua zona de conforto no início assustador e nada confortável do seu negócio, seu PORQUÊ tem que ser sobre **você**.

Eu estava treinando uma parte de nossa equipe e dei uma volta pela sala perguntando às mulheres qual era o PORQUÊ delas. Quando cheguei à pessoa que chamarei de Maria, ela disse que era pagar a universidade dos filhos. Mas não havia paixão em seus olhos quando disse isso, apenas a voz contida vinda de uma cabeça baixa e ombros curvados. Respeitosamente, eu a questionei.

– Você começou seu negócio há mais de um ano e ainda não trabalha nele com persistência. Será que seu PORQUÊ é suficiente para levá-la a fazer isso?

– Mas é claro que é, são meus filhos – argumentou ela.

– Arrá! – exclamei. – Você pensa que deveria ser, mas não é.

Então pedi que ela me dissesse o que realmente queria para si. Enquanto os olhos se enchiam de lágrimas, ela admitiu que desejava ter algo só seu além de ser mãe e esposa e provar a si mesma que conseguia realizar algo grandioso. Quando disse isso, algo incrível aconteceu: a voz ficou mais forte, os ombros se ergueram e ela se sentou mais ereta.

– Esse é seu verdadeiro PORQUÊ, querida – declarei ao abraçá-la. – É o que vai levá-la a fazer isso todo santo dia.

Desde então, Maria se envolveu com seu negócio com uma determinação persistente que não tinha antes. Ela passou do nível do qual não conseguia sair e alcançou uma grande promoção e um aumento.

Nós, mulheres, somos programadas para fazer tudo pelos outros. Mas garanto: montar este negócio pelos outros não será suficiente. Você precisa de um PORQUÊ inabalável para atravessar tempos difíceis. E esse PORQUÊ tem que ser *sobre você* e *por você*.

Você precisa de um PORQUÊ inabalável para atravessar tempos difíceis. E esse PORQUÊ tem que ser *sobre você e por você.*

Fazer parte de algo novo e divertido que preencha seu tempo enquanto as crianças estão na escola ou que alivie seu medo de ficar de fora de uma coisa legal podem ser boas razões para pular no barco e alcançar certo nível de sucesso, mas nem chegam perto de ser suficientes para mantê-la trabalhando duro para montar um negócio milionário.

Certa vez aceitei uma nova parceira de negócios, Pamela Mulroy, depois que ela passou meses me seguindo no Facebook e vendo os produtos de nossa empresa na TV. Na época, ela adorou fazer algo novo e gostou da ideia de ir largando aos poucos seu emprego de meio período. Isso bastou para que alcançasse o primeiro nível importante em nossa empresa e largasse o emprego. Mas, assim que atingiu essa meta, Pamela não tinha mais razão para continuar crescendo. Sem recrutamento contínuo, ela caiu de nível. Durante alguns anos, não consegui extrair dela a razão pela qual queria montar este negócio. Mas, sem isso, ela não tinha por que trabalhar o suficiente para reconquistar seu nível e receber a quantia significativa que deixava de ganhar todo mês, muito menos para correr atrás do carro oferecido pela empresa às parceiras mais delicadas.

No entanto, é possível avançar quando descobrimos um novo PORQUÊ mais poderoso. Pamela decidiu que queria tirar boa parte da pressão financeira de cima de Tom, seu marido que trabalhava demais, e essa nova meta deflagrou uma nova dedicação e um novo compromisso com seu negócio. E, com certeza, Pamela não é a única.

Becca O'Leary começou seu negócio para "interagir com adultos e ser algo além de mãe". Porém, depois de dois anos de crescimento lento, teve uma revelação quando estava em um evento de treinamento realizado pela empresa. Ela havia sido arrastada para o evento por sua patrocinadora e melhor amiga. Lá, ouvindo as histórias de sucesso, ela descobriu um novo PORQUÊ. "Finalmente entendi. Eu me sentia muito culpada por não ajudar meu marido a pagar as despesas da casa. E não queria viver daquele jeito. Queria sentir que estava contribuindo e cumprindo um papel no sustento da família. Foi aí que tomei a decisão de tratar isso como uma empresa." Foi um PORQUÊ suficiente para fazê-la avançar até o topo do plano de remuneração.

Minha querida amiga Amy Hofer começou seu negócio porque as filhas adolescentes exigiam menos de seu tempo e sua antiga empresa na área editorial estava sem trabalho significativo. A razão pela qual disse sim ao novo empreendimento foi apenas o desejo de não deixar a oportunidade passar. Embora na largada ela tenha disparado como um cavalo vencedor, o medo de perder a oportunidade não foi suficiente para impedir seu negócio de estagnar quando a vida aconteceu – no caso, foram tanto as coisas divertidas que a distraíam quanto a dor de perder o pai.

Quando as tensões da exigente carreira de Nick, seu bem-sucedido marido, se tornaram intoleráveis, Amy teve uma revelação: ela estava sentada numa mina de ouro que podia lhe trazer de volta o homem com quem se casara e lhe dar o propósito de vida que tanto desejava. Foi aí que atacou seu negócio com foco total, o que a levou a grandes saltos em duplicação e volume organizacional e à satisfação de comandar uma equipe de crescimento rápido rumo ao volume que lhe garantiria o bônus de um carro – além da renda que liberou Nick e o levou a trabalhar com ela. Juntos, eles chegaram ao nível máximo em nossa empresa e se sentem realizados com o impacto diário que causam sobre outras pessoas.

Nossos PORQUÊS evoluem com o negócio, e o segredo do crescimento constante sem estagnação está em verificar continuamente quais são suas prioridades. O meu PORQUÊ começou como o desejo de fugir da prisão de ser remunerada apenas por serviços prestados e criar uma renda que me permitisse ganhar dinheiro mesmo quando não estivesse trabalhando – o que chamamos de renda passiva. Assim que consegui dar adeus à carreira de relações públicas, quis libertar John dos limites de sua prática médica, também remunerada por serviços prestados. Assim que isso aconteceu, meu PORQUÊ se tornou muito maior.

> Nossos PORQUÊS evoluem com o negócio, e o segredo do crescimento constante sem estagnação está em verificar continuamente quais são suas prioridades.

Nos três anos seguintes, via meu terceiro PORQUÊ toda vez que entrava na área de gestão administrativa que o site da empresa nos oferece. Eu havia colocado ali uma foto de Nate e Bebe na banheira, com um grande sorriso no rosto e um brilho travesso nos olhos, com as palavras: "Ter tempo e liberdade para mostrar a Nate e Bebe tudo o que a vida tem a oferecer e ensiná-los a desenvolver seu espírito empreendedor para alcançar o topo e fazer do mundo um lugar melhor. Ser uma agente de mudança para ajudar outras pessoas a serem a melhor versão de si mesmas."

Fui fundo para encontrar esse PORQUÊ, e ele se manteve verdadeiro até nossa renda mensal alcançar os seis dígitos. Nessa época, conseguimos ter tempo e liberdade financeira para fazer tudo o que queríamos pela família e ainda ajudar outras pessoas a fazerem o mesmo. É claro que Nate e Bebe aprendiam a desenvolver o espírito empreendedor; eles estavam cercados pela prova viva de que, quando trabalhamos duro em algo que nos apaixona e que tem valor para os outros, é possível ter um trabalho gratificante e também aproveitar a vida. Precisamos lembrar aos dois que ter ambos os pais em casa e acessíveis quase o tempo todo não é a norma em todas as famílias e que empregos convencionais não têm vantagens como essas. A realidade diferenciada das crianças ficou muito clara certa noite em que John e eu conversávamos à mesa do jantar sobre um amigo que fora promovido na empresa em que trabalhava. Bebe perguntou: "Quando ele vai ganhar seu carro novo?"

Mas, se eu desejava acordar todos os dias ainda querendo construir nosso negócio, teria que encontrar um novo PORQUÊ. Ele passou a ser sobre os outros – não apenas empoderando mais pessoas para se tornarem quem estavam destinadas a ser, mas também sendo capaz de empregar recursos significativos para ajudar mulheres e crianças ao redor do mundo a terem acesso ao básico de que nós gozamos diariamente: barriga cheia, acesso a assistência médica e programas de empoderamento para alcançar a excelência. Isso basta para me motivar por anos a fio, e a meu marido também. E é por isso que vamos para cama quase todas as noites com o desejo de continuar construindo este negócio.

Enquanto pensa ou repensa seu PORQUÊ, lembre-se de que não é um problema ser egoísta sobre o que você quer. Essa mudança de mentalidade pode ser difícil, ainda mais para as mulheres, porque somos programadas para ser terrivelmente altruístas e fazer muito pelos outros. No entanto, muitos dos PORQUÊS de que falamos provam que é possível fazer por si *e* pelos outros. Lá no fundo, Tracy Willard queria salvar a família e Amy queria ajudar o marido. Eu tive a audácia de querer tudo – por mim, por John, por nossos filhos, pelas integrantes de nossa equipe que estão batalhando conosco e pelas causas que nos apaixonam.

Acredito que uma das principais razões para muitas pessoas não encontrarem seu real PORQUÊ – aquele que vai deixá-las desconfortáveis e as obrigará a se esforçar, crescer e se dedicar com persistência – é não buscar a fundo dentro de si. Na verdade, é como descascar uma cebola: quando explorar seu PORQUÊ, pergunte-se "Por que isso?" continuamente. Por exemplo, uma de nossas parceiras de negócios declarou primeiro que queria ganhar mais dinheiro. Comecei a descascar: "Por que isso?" Para construir uma reserva de emergência. Mais cascas: "Por que você quer uma reserva de emergência?" Para se sentir segura. "Por que isso a deixará segura?" Porque no último casamento, o marido a deixou sem nada, e no casamento atual ela poderia acabar na mesma situação horrível. "Então estou entendendo que seu real PORQUÊ é ter certeza de que sempre poderá cuidar de si mesma e ter o futuro nas próprias mãos. É isso?" "É", disse ela, e chorou. Querer simplesmente ganhar mais não seria suficiente para fazer essa mãe trabalhadora e ocupada comparecer com persistência, apesar dos desafios inevitáveis da vida. Mas seu PORQUÊ real é bastante poderoso e, por isso, ela está a caminho de construir algo que a deixará segura e empoderada.

Outra razão para as pessoas não conseguirem descobrir seu PORQUÊ é ter parado de sonhar. É tão fácil ficarem atoladas na realidade como ela é que param de sonhar com a realidade como ela poderia ser. Ou, se não pararam de sonhar, talvez tenham parado de acreditar que realmente é possível realizar seus sonhos. Se não acreditar que é possível, você não ousará correr atrás, muito menos sonhar.

Seja qual for o estágio de sua vida ou seu negócio, será que não está na hora de se permitir sonhar de novo? Será que não está na hora de se permitir acreditar que esses sonhos podem se realizar? Assim como milhares de pessoas de nossa equipe, sou a prova viva de que, sejam quais forem seus sonhos, você deveria sonhar mais alto, porque esta profissão oferece muito. Então: o que quer para você? Esse é seu PORQUÊ.

Seja qual for o estágio de sua vida ou seu negócio, será que não está na hora de se permitir sonhar de novo?

Metas: comer o elefante uma mordida de cada vez

Quando souber seu PORQUÊ, você estabelecerá metas que a levarão a alcançá-lo. Mas saiba que há maneiras eficazes e ineficazes de estabelecer metas. A maneira eficaz é pegar uma meta grande (o elefante) e decompô-la em passos pequenos para torná-la mais factível.

Neste momento, eu seria negligente se não mencionasse o padrão de excelência provado e comprovado de estabelecimento de metas, que transcende o marketing multinível. Não sei quem o inventou, mas o método SMART é o que há de melhor – "*smart*" significa "inteligente" em inglês. Segundo esse sistema, as metas precisam ser *Specific* (específicas), *Measurable* (mensuráveis), *Achievable* (alcançáveis), *Realistic* (realistas) e *Time-bound* (com um prazo definido).

Uma meta específica tem probabilidade muito maior de ser alcançada do que uma meta genérica. E, quando a meta específica é decomposta em passos pequenos, essa probabilidade se torna ainda maior. Para estabelecer sua meta específica, responda aos três "quês":

- **O que** você quer realizar?
- **Quando** quer realizar?
- **Por que** quer realizar?

Por exemplo, uma meta genérica seria: quero recuperar meu investimento. Mas uma meta específica seria: quero recuperar meu investimento até o fim do primeiro mês para que eu consiga pagar a fatura do cartão de crédito.

A meta mensurável pode ser medida. Por exemplo, você tem uma dívida de 1.500 dólares com o cartão de crédito e quer quitá-la. A meta também precisa ser alcançável, e o que adoro em nossa profissão é que praticamente todas as metas que você criar poderão ser atingidas se você trabalhar com afinco e persistência. Estabelecer metas realistas é importante porque, embora você possa alcançar quase tudo o que quiser, é preciso ser realista sobre o tempo que vai levar para fazê-lo. Isso depende do tempo de que dispõe e pode empregar em seu negócio. Por exemplo, se tiver a meta de cobrir seu salário mensal de 10 mil em seis meses, mas só se dispuser a dedicar apenas seis horas por semana a seu negócio, provavelmente a meta não vai se realizar nesse prazo.

Mas isso não deve dissuadi-la de criar metas mais distantes; isso é diferente de criar metas não realistas. O negócio prospera mais depressa quando continuamos criando metas de longo prazo para nós e para a equipe. Qual é o pior que pode acontecer? Tentar acertar a Lua e acabar entre as estrelas. Não é tão ruim assim.

É claro que você deve criar metas com prazos definidos, porque metas sem cronograma não passam de sonhos. Quando trabalhamos com prazo definido, a noção de urgência aumenta, o que reduz a procrastinação e nos leva à linha de chegada muito mais depressa.

Embora seu PORQUÊ não possa ser apenas monetário, as metas financeiras são um modo tangível de medir seu progresso e acompanhar a eficácia com que você avança no negócio e se aproxima de seu PORQUÊ. Fui pessoalmente movida por uma combinação de busca por marcos financeiros e incentivos oferecidos por nossa empresa. Balance um incentivo – dinheiro, viagem, joia – na minha frente e, faça chuva ou faça sol, eu vou conquistá-lo. Provavelmente sua empresa projeta os incentivos para levá-la a construir um negócio que a ajude a avançar em renda e nível, então, sempre que tiver a oportunidade de correr atrás de um deles, corra. Faça disso uma meta e ponha uma representação visual do incentivo num local que você veja com frequência.

Acredito muito no poder de escrever as metas e declará-las no ambiente mais público que puder. Isso as torna reais, e a declaração pública obriga você a responder por elas. Também é o próximo passo para realmente acreditar que é possível alcançá-las. E essa crença pode tornar isso possível. Tudo bem, talvez eu esteja parecendo meio esotérica, mas já vi isso acontecer tantas vezes comigo, com meu marido e com membros de nossa equipe que tenho que acreditar. Portanto, continue comigo. De acordo com Pam Grout, no livro *Energia ao quadrado*, podemos manifestar tudo o que quisermos apenas estabelecendo uma intenção. Ela escreve: "Quando lança uma bola de tênis no ar, você pode contar que ela vai cair. A intenção é como essa bola de tênis. Ela volta exatamente do jeito que você a lançou."

A declaração pública obriga você
a responder pelas metas.

De que outra forma se pode explicar o poder do quadro dos sonhos? Recomendo enfaticamente que você faça um e incentive todos os membros de sua equipe a fazerem o mesmo. Tenho muitos exemplos de imagens de metas e sonhos presas num quadro de cortiça que acabaram se tornando realidade. Como a foto de um barco navegando em águas azuis preso ao quadro de metas de minha querida amiga e parceira de negócios Bridget Cavanaugh. Uma imagem quase idêntica apareceu cinco anos depois no folheto de uma viagem à Grécia que nós duas ganhamos. Se você gosta dessa ideia e quer aproveitar seu esoterismo interior, *Energia ao quadrado* é o próximo livro que deveria ler – depois de devorar completamente este aqui, é claro.

A cada pequena meta SMART alcançada, sua confiança aumenta. Se minha primeira meta SMART fosse ganhar quantias de seis dígitos ou aposentar John do consultório, sem dúvida seria muita coisa para uma mordida só. Eu engasgaria com aquele elefante. Mas, naquele primeiro ano, pude me concentrar em metas menores e de crescimento: entrar em contato com três novas pessoas por dia, levar três chamadas triangulares por semana para minha *upline*, acrescentar novas clientes e parceiras de negócios todo mês, pagar a hipoteca. Depois obter a primeira promoção significativa e igualar a renda da consultoria em relações públicas. Em seguida superá-la, ganhar uma viagem de incentivo para a região vinícola do sul da Califórnia e ganhar o prêmio de Melhor Recrutadora na convenção de nossa empresa. E só então igualar a renda de John.

Se você perguntasse a Tracy se ela começou seu negócio pensando em ganhar um carro novinho em folha e em se mudar de volta para o sul da Califórnia, onde nasceu, para viver junto ao mar, ela lhe responderia que era claro que não. "Tive que começar pondo comida na mesa, depois ganhando mais do que o salário de professora me pagava para poder largar o emprego e dedicar mais tempo a meu negócio e às minhas meninas." Depois ela se concentrou em pagar as dívidas.

Amy Byrd, outra amiga que possui renda milionária em nossa equipe, teve uma escalada clara de metas que a levou a alcançar seu PORQUÊ e uma carreira lucrativa capaz de lhe dar flexibilidade completa para estar com seus dois filhos pequenos. Quando começou seu negócio, a meta imediata de Amy era conseguir o retorno do investimento nos primeiros 30 dias porque precisava recuperar o limite do cartão de crédito. A situação financeira estava apertadíssima para essa ex-representante farmacêutica e seu marido corretor de imóveis. As metas de longo prazo de Amy tinham prazos definidos, mas ela antecipou seu cronograma quando a situação dos projetos imobiliários nos quais o marido estava envolvido foi de mal a pior e a família de quatro pessoas teve que ir morar na casa dos pais dela.

Assim que obteve a primeira grande promoção, Amy adotou a meta de "fazer o que eu digo" com a equipe. "Quis mostrar à minha equipe que o avanço em nível/promoções/viagens/carros estava ao alcance de todos. Se eu tinha conseguido, elas também conseguiriam." A flexibilidade ainda permitia que Amy protegesse seu patrimônio mais precioso – o tempo com os filhos – enquanto trabalhava para sair da casa dos pais, e se mudar para uma linda casa nova e alcançar as fileiras mais altas de líderes da nossa empresa.

John e eu aprendemos que, embora precisemos estabelecer uma meta e trabalhar para alcançá-la, não é aí que deve estar o foco do dia a dia. Em vez disso, nos concentramos no **processo** de atingir a meta. Por exemplo, se sua meta é conseguir três novas parceiras de negócios por mês, peça ao Universo (ou a quem quer que você encaminhe seus pedidos) que traga para sua vida mais gente com quem você possa conversar. O pedido estabelece sua intenção. Então aproveite todas as oportunidades que surgirem para falar sobre seu negócio e seus produtos ou serviços: toda vez que encontrar alguém ao buscar o filho na escola; desconhecida amistosa sentada perto de você no restaurante (não se preocupe, adiante falaremos sobre o jeito certo de fazer isso); amiga há muito perdida que você avista em seu mural no Facebook. Converse com todo mundo que o Universo trouxer à sua vida.

Aproveite todas as oportunidades que surgirem para falar sobre seu negócio e seus produtos ou serviços.

Afinal, se tiver conversas suficientes, você encontrará pessoas que desejam se tornar suas clientes e outras que podem se unir a você nos negócios. Apaixone-se pelo processo, e ele a conduzirá ao cumprimento de suas metas. Então, daqui a 12 meses, caso se mantenha focada, você olhará tudo o que realizou, o tanto que cresceu, e espero que desenvolva um amor verdadeiro pela jornada.

Até que ponto você realmente quer?

É isso que separa gente que fala de gente que faz. Uma coisa é dizer que você quer montar um negócio, identificar seu PORQUÊ e estabelecer metas que a levarão até lá. Outra bem diferente é realmente FAZER tudo isso.

Esse "até que ponto você realmente quer" recai em seu PORQUÊ. Mais uma vez, ele tem que ser grande a ponto de você abrir mão de coisas como a TV (não assisti à televisão nos primeiros dois anos do meu negócio, a não ser que estivesse presa a um equipamento cardiovascular), revistas de fofocas (é, até no banheiro passei a ler sobre desenvolvimento pessoal e profissional) e cozinhar todas as noites (passei a amar o conceito de "refeições prontas"). Você também precisa obter apoio das pessoas com quem divide a vida, como seu marido e seus filhos.

Como já mostramos, montar um negócio milionário exige persistência e conversas com outras pessoas todos os dias, porque nem todo mundo que você trouxer a bordo será treinável ou terá um PORQUÊ com força suficiente para sustentar a própria motivação; você terá em sua equipe integrantes que não fazem nada e algumas que desistem. Este é um negócio de alta rotatividade. É como uma loteria. Se você não trouxer pessoalmente pelo menos dois novos parceiros de negócios por mês, não se protegerá contra a rotatividade. E, na verdade, estará encolhendo, e não expandindo.

Você pode ficar com vontade de desistir, mas é preciso se comprometer a trabalhar 18 a 24 meses com o máximo de afinco e inteligência que conseguir. Naqueles dois primeiros anos em que montei meu negócio, eu sempre repetia para mim mesma a famosa frase [de autor desconhecido]: "Empreendedorismo é viver alguns anos da vida como a maioria não gostaria para poder passar o resto da vida como a maioria não poderia."

Na verdade, isso de "até que ponto você realmente quer" tem a ver com dor e prazer. Como seres humanos, evitamos tudo que pareça dor e agimos de imediato em busca daquilo que acreditamos que nos fará bem ou nos dará prazer. Hoje você provavelmente considera doloroso investir tempo para montar seu negócio, aprender a conversar com as pessoas e aceitar negativas e decepções.

E se você conseguisse treinar a si mesma e a outras pessoas de modo a programar o cérebro para relacionar a dor a **NÃO agir** e o prazer a **agir**? Estou falando de trabalhar com a parte mais profunda do subconsciente. Continue me acompanhando que vou explicar melhor.

> E se você conseguisse treinar a si mesma e a outras pessoas de modo a programar o cérebro para relacionar a dor a NÃO agir e o prazer a agir?

Você já sentiu que o celular de 150 gramas parecia pesar 150 quilos na hora de ligar para alguém? Ou experimentou a dificuldade de dizer cinco palavras para puxar conversa com a pessoa atrás de você na fila da lanchonete?

Se a resposta for sim, você só precisa reprogramar o cérebro de modo que **não agir** seja extremamente doloroso e **agir** a deixe iluminada por dentro. Quando fizer isso, descobrirá que não precisa recorrer tanto à pura força de vontade. Você simplesmente vai querer fazer essas coisas.

Agora você deve estar pensando: "Romi, você disse que é uma garota que não gosta de enrolação, mas para mim isso parece uma baita enrolação." Posso lhe garantir: reconheço o que é enrolação a quilômetros de distância, e não tem nada a ver com isso.

Você pode reprogramar seu cérebro. É um fato científico. Houve até uma reportagem fenomenal no *Wall Street Journal* que resumia o que Tony Robbins, guru do desenvolvimento pessoal, e outros vêm ensinando há anos. Só que a neuropsiquiatria demorou um pouco mais para perceber. A reportagem dizia: "A visão convencional da neurociência e da medicina hoje é a de que, na verdade, o cérebro vivo é 'neuroplástico', ou seja, seus 'circuitos' mudam constantemente em resposta ao que de fato fazemos no mundo. Quando pensamos, percebemos, formamos lembranças ou aprendemos novas habilidades, as conexões entre os neurônios também mudam e se fortalecem. Longe de ter um programa fixo, o cérebro possui circuitos que se formam, se desfazem e voltam a se formar muito depressa." [Doidge, N., *Our Amazingly Plastic Brains*, ou "Nosso cérebro incrivelmente maleável", em tradução livre.]

Caramba! Está percebendo como isso é espantoso e o que pode significar para seu negócio e sua vida? O cérebro muda constantemente com base no que pensamos e fazemos. Podemos mudar a programação do cérebro! Isso abre toda uma nova gama de possibilidades, não é?

Vou ajudá-la a se "programar" ou se "reprogramar" para o sucesso. Vou lhe passar um exercício que usei num grupo de minha equipe na série de treinamento.

Com ele, você vai ensinar ao cérebro que o prazer que ele busca está em **fazer o trabalho** para montar seu negócio e alcançar seu

PORQUÊ. E a dor que você, ó humana, quer evitar com tanto desespero está em **não fazer o trabalho** para montar seu negócio e alcançar seu PORQUÊ.

Depois que você fizer o dever de casa, chegaremos ao próximo capítulo. Você vai ter um refresco do esoterismo por algum tempo enquanto nos concentramos numa habilidade que você vem aprimorando desde que era criança e escrevia para o Papai Noel. Sei que está curiosa, mas não avance antes de fazer seu dever de casa. Seja treinável, ora bolas!

Entre em ação

Pegue um caderno ou agenda e responda às seguintes perguntas:

1. Qual é seu PORQUÊ? (Lembre-se de descascar sua cebola para chegar ao real PORQUÊ.)

2. Por que isso é tão importante para você? Seja bem específica aqui. Como acha que isso vai mudar sua vida, afetar sua família, ajudá-la a chegar aonde quer estar a longo prazo?

3. Se não alcançar seu PORQUÊ, qual é a dor que sentirá? Em outras palavras, qual custo pagará na vida por não agir para montar este negócio? Seja bem detalhista nesta parte. O que você e sua família perderão? Como isso afetará sua confiança e sua autoestima?

4. Imagine-se daqui a cinco anos. Se não alcançar seu PORQUÊ, onde você estará e de que terá que abrir mão porque não agiu nem deu continuidade ao que era importante?

Leia suas respostas todos os dias durante três semanas. Achei muito útil ler pela manhã bem cedinho, antes mesmo de pôr os pés no chão, para me ajudar a determinar minha intenção para o dia. Talvez você prefira ler antes de dormir. Não importa a hora, desde que leia. Todos os dias durante 21 dias.

Capítulo 3

SUA LISTA É SUA VIDA: QUE SEJA LONGA

Muito bem, você estabeleceu ou restabeleceu a base de seu negócio – seu PORQUÊ – e determinou algumas metas de curto prazo. Agora é hora de se concentrar na tábua de salvação do seu negócio: sua lista de contatos.

A lista é de fato sua vida neste negócio; portanto, que ela seja longa. Trata-se de uma coisa viva que você deve consultar, atualizar e aprimorar todos os dias. Quanto mais cedo criar o hábito de pensar dessa maneira em sua lista, mais cedo ela se tornará um patrimônio valioso de seu negócio.

Outra maneira de ver a lista é como uma conta bancária. Quando são feitas retiradas (com pessoas saindo da lista), é preciso fazer depósitos (acrescentando sempre pessoas novas). Portanto, vamos falar sobre como fazer depósitos em sua lista todos os dias. Vou lhe mostrar como trabalhar com sua lista ao longo do tempo para mantê-la organizada e, assim, ser possível se concentrar de maneira mais eficiente nas atividades produtoras de renda (APR) e fazer seu empreendimento crescer mais depressa. Faça o que vou lhe ensinar e sua lista nunca ficará anêmica.

Crie sua Lista Geral

A melhor coisa que você pode fazer por si mesma e por suas futuras parceiras de negócios é manter uma Lista Geral bem completa. Essa lista inclui todos os seres humanos que você conhece, seja amigos íntimos ou meros conhecidos. O segredo é não prejulgar quem entra na lista. Não fazemos ideia de quem se interessará pelo que temos a oferecer. Muitas cometem o erro de segmentar a lista julgando de cara em que cada um de sua rede estaria interessado. Colocar as pessoas em categorias predeterminadas de "Usuária de produtos" e "Integrante da equipe" é um exercício infrutífero. Em primeiro lugar, não há como prever quem se interessará por qual segmento do negócio. A maior parte de nossa renda mensal vem das equipes de três pessoas que nunca pensei que estariam interessadas em começar seu próprio empreendimento. Ora, inúmeras pessoas me disseram que nunca teriam adivinhado que eu me interessaria por algo assim. Em segundo lugar, classificar as pessoas, de forma consciente ou não, levará você a ajustar sua conversa e, sem perceber, escolher de antemão como aquela pessoa se envolverá. Como vou lhe ensinar, você será muito mais eficaz se começar com o negócio e depois passar aos produtos.

> A melhor coisa que você pode fazer por si mesma e por suas futuras parceiras de negócios é manter uma Lista Geral bem completa.

No primeiro dia a bordo, peço às nossas novas parceiras de negócios que peguem lápis e papel e listem "todo mundo que você conhece e que tenha pele" – já que nosso negócio é de produtos para a pele – e elas sempre acham graça. Então peço que coloquem uma estrelinha na frente do nome dos 30 integrantes de seu **Time dos Sonhos**. São as pessoas com quem adorariam trabalhar, seja qual for a razão. Talvez tenham um histórico de sucesso comprovado. Talvez tenham uma personalidade magnética. Talvez sejam influenciadoras em sua rede. Talvez simplesmente façam o que tem que ser feito. Ou talvez sejam tão absurdamente divertidas que você acha que seria fantástico trabalhar com elas. Agora, não se esqueça: você não tem a menor ideia se elas realmente *querem* fazer isso, mas a questão não é essa. Você as está identificando como parte de seu Time dos Sonhos, como em uma seleção de futebol imaginária, porque agora você é a presidente e pode escolher "contratar" quem quiser. Se vão aceitar o não, caberá a elas.

Também peço às parceiras novatas que identifiquem em sua lista quem faria parte da "Lista do Lixo". Em poucas palavras, são as pessoas que mais amam e apoiam você – tanto que, se você estivesse vendendo lixo, elas comprariam só para dar força. Aliás, não fui eu que cunhei essa expressão; ouvi-a num treinamento e a achei tão adorável e brilhante que a adotei. Essa lista provavelmente incluirá sua mãe, seu pai, seus avós, sua irmã e sua melhor amiga. Já testemunhei como pode ser útil fazer ligações para a Lista do Lixo com a *upline* de sua equipe quando somos novatas. Essas ligações são um ótimo jeito de começar a aprender imediatamente com sua parceira de negócios, pondo logo em prática o tal método "avance enquanto aprende". Isso também lhe dá a experiência das primeiras ligações, demonstrando que, na verdade, é algo divertido e não mata ninguém. Já vi que isso ajuda as novatas a conquistar as primeiras clientes, acrescentar parceiras de negócios e conseguir indicações logo no começo. Tudo bem que você ainda não saiba muito o que fazer; sua parceira de negócios é quem mais falará. Para saber os detalhes de como realmente executar esses esforços, aguente firme. Veremos isso no capítulo 10.

Mas não consigo me lembrar de mais de 25 pessoas

Ou mais de 40, 55, 100... Todos já ouvimos algum número baixíssimo para seres humanos que estão no planeta há vinte anos ou mais. Chamo isso de enrolação. Na verdade, já está provado que é a mais pura enrolação.

Uma reportagem do *New York Times* afirmou que, em média, um americano conhece cerca de 600 pessoas, segundo pesquisadores da Universidade Colúmbia. Tian Zheng e colegas fizeram uma série de perguntas a uma amostra representativa de 1.500 americanos: quantas pessoas chamadas Kevin você conhece? Quantas chamadas Karen? Quantas chamadas Shawn ou Sean, Brenda, Keith ou Rachel? Depois de ajustar vários fatores, inclusive o fato de os nomes não estarem representados de maneira homogênea em todas as faixas etárias da população, eles calcularam que, em média, os participantes conheciam 8,4 pessoas com esses nomes. Os registros da Seguridade Social indicam que 1,4% da população tem um desses nomes, e 8,4 dividido por 1,4% dá 600 pessoas. [Gelman, A., "The Average Person Knows How Many People?", ou "Quantas pessoas um cidadão comum conhece?", em tradução livre, *The New York Times*, 2013.]

Mesmo que você não acredite nesse número ou não entenda a lógica matemática por trás dele, vejamos a pesquisa de redes sociais feita décadas antes. A mesma reportagem explica que H. Russell Bernard e Peter Killworth estimaram que o americano médio conhece 290 pessoas. Esse número mais baixo pode ser explicado pelo fato de terem sido usados nomes mais comuns, como Michael e Robert, e a pesquisa mostra que é mais difícil se lembrar de pessoas com nomes comuns do que de pessoas com nomes um pouco mais exóticos. Mas também pode ser porque o surgimento recente das mídias sociais, além de aumentar a rede de pessoas, também manteve as pessoas do passado durante mais tempo em nossa vida, que assim ficam mais fáceis de recordar. É bom lembrar que não há indício de que os voluntários da pesquisa fossem pessoas cuja profissão exigisse que cultivassem suas redes, ou seja, o número pode ser muito mais baixo do que o de gente como nós, cujo trabalho é ser sociável e ativa e fazer novos amigos o tempo todo. Se você nunca foi assim, será. Você consegue.

Não está satisfeita com os números oferecidos por gente que fez carreira pesquisando redes sociais? Vejamos os casamentos. O "Estudo de casamentos reais", de 2013, do site TheKnot.com, afirma que, em média, as festas de casamentos têm 138 convidados. Também de acordo com esses gurus matrimoniais, 10% a 20% dos convidados não comparecem. Portanto, a lista de convidados tem, em média, 151,8 a 165,6 pessoas. Como não podemos ter frações de pessoas (embora eu já tenha conhecido pessoas que têm uma fração de personalidade e que, portanto, não seriam uma boa escolha para este negócio), vamos concordar que o número médio de pessoas consideradas íntimas a ponto de serem convidadas para um dos eventos mais importantes de uma vida é de 152 a 165. Portanto, não me diga que não conhece pelo menos 200 seres humanos no planeta. E isso é só para começo de conversa.

Eis a grande notícia: não importa se há muita ou pouca gente em sua Lista Geral inicial; você vai acrescentar nomes a ela continuamente. É provável que pense em pessoas novas todos os dias, mas pelo menos uma vez por mês deve se sentar e metodicamente acrescentar nomes à sua lista. Um ótimo jeito de fazer isso é estimular a memória olhando o quadro a seguir, que lista as categorias em que você pode incluir as pessoas que conhece. Tente encontrar quatro novos nomes para cada categoria durante sua sessão mensal. Faça isso e terá mais de 100 pessoas novas com quem entrar em contato.

É provável que pense em pessoas novas todos os dias, mas pelo menos uma vez por mês deve se sentar e metodicamente acrescentar nomes à sua lista.

Quando achar que esgotou essas categorias, experimente o que os pesquisadores fizeram. Passe pelos nomes, indo de A a Z, e escreva os que lhe vierem à mente.

Se depois de todos esses exercícios você ou sua novata ainda não conseguirem pensar em mais de 30 seres humanos que conheçam neste planeta, provavelmente você não gosta de pessoas o suficiente para esta profissão. Portanto, seja uma feliz usuária dos produtos e entregue essa lista a quem a trouxe para o negócio.

Entre em ação

Vamos começar a sacudir sua memória agora mesmo. Dedique 15 minutos a escrever quatro nomes em cada categoria e acrescente-os à sua Lista Geral.

- Líderes comunitários.

- Pessoas com quem você estudou (ensinos fundamental, médio e faculdade).
- Igreja, sinagoga ou templo religioso.
- Amigos de amigos.
- A rede de seu marido ou namorado.
- Colegas de trabalho do passado e do presente.
- Jantares, chás de panela, casamentos, formaturas.
- Pessoas que lhe prestam serviços: contadores, entregadores, manicures, encanadores.
- Profissionais liberais: educadores, profissionais de saúde, advogados, corretores de imóveis.
- Comissões e voluntários de entidades sem fins lucrativos.
- Contatos nas mídias sociais: Facebook, LinkedIn, Instagram.
- Grupos de mães e donas de casa.
- Grupos diversos: clube do livro, carteado, *happy hour*.
- Pessoas com passatempos: dança, tênis, jardinagem, equitação, ciclismo, caminhadas.
- Grupos de ativistas políticos.
- Pais de colegas dos filhos.
- Pais em todas as atividades dos filhos (esportes, clubes, ensino religioso).
- Professores, treinadores, instrutores, mentores.
- Pessoas em ônibus, trens, aviões e automóveis.
- Frequentadores do clube e dos cafés.
- Vizinhos e ex-vizinhos.
- Pessoas que vendem coisas: imóveis, carros, varejo.
- Pessoas que amam as artes: música clássica, ópera, belas-artes, balé.

- Pessoas cujo negócio você apoia ou apoiou.
- Pessoas que fazem o que precisa ser feito.
- A rede do irmão, a rede da irmã.
- A rede dos pais.

Crie sua Lista da Covardia

Se você não entrar em contato com sua Lista da Covardia, as pessoas com quem você tem muito medo de falar acabarão na equipe de outras. Elas serão clientes de outras ou recomendarão uma ótima parceira a outra pessoa. Considerando o ritmo de crescimento de algumas empresas e de nossa profissão como um todo, isso não é uma suposição, é um fato. Portanto, supere esse receio, pare de inventar histórias sobre o que as pessoas na Lista da Covardia dirão, pensarão ou farão e simplesmente tome a iniciativa.

Sejamos francas: se as pessoas de sua Lista da Covardia são tão geniais a ponto de deixá-la apavorada ou criando histórias apocalípticas na cabeça, não seriam exatamente essas as que você gostaria de ter em sua equipe ou como divulgadoras de seus produtos ou que ao menos poderiam colocá-la em contato com uma nova rede de contatos?

Eu imploro a você que entre em contato imediatamente com cada uma das pessoas que lhe dão frio na barriga ou vontade de fugir quando pensa em se aproximar. Afinal, é provável que a razão para estarem na sua Lista da Covardia seja a mesma pela qual deveriam entrar em sua equipe. Juro que isso não vai matar ninguém. Basta fazer.

Havia uma pessoa em minha Lista da Covardia quando comecei. Era minha última chefe, e digamos que nossa despedida não fora marcada apenas por beijinhos e abraços. Embora não tivéssemos nos separado nos melhores termos, não havia como negar que aquela mulher tinha muita inteligência, tino comercial e talento com pessoas e que deveria ter sido uma das primeiras pessoas para quem eu deveria ter ligado. Mas, mesmo que não tivesse medo da opinião dos outros sobre o que eu estava fazendo, fiquei nervosa demais para telefonar para ela. Francamente, não me lembro direito por quê. Acho que tinha algo a ver com o modo como, por fora, ela parecia muito apaixonada por sua carreira no marketing e pela agência que possuía. Talvez eu temesse que ela pensasse que eu tinha desistido ou enlouquecido para sair das relações públicas (ou alguma outra história que inventei na minha cabeça). Na verdade, eu não tinha a menor ideia do que ela pensaria. Nenhuma de nós sabe o que as outras pessoas pensam, e portanto gastar tempo e energia especulando é puro desperdício.

Nenhuma de nós sabe o que as outras pessoas pensam, e portanto gastar tempo e energia especulando é puro desperdício.

Certo dia, uns três meses depois de iniciar meu negócio, ela me ligou para perguntar se eu estaria disposta a pegar um contrato de mídia para um cliente dela.

– Sinto muito não poder ajudar, mas estou encerrando minha carreira de relações públicas. Descobri algo muito mais divertido e lucrativo. – Isso simplesmente escapuliu da minha boca. – Mas muito obrigada por perguntar. Se quiser, eu posso lhe mandar o contato de alguém que seria perfeito. Que tal?

– Claro, seria ótimo – gaguejou ela, e nos despedimos.

Menos de uma hora depois, ela me mandou um e-mail para perguntar se eu tomaria um café com ela naquela tarde. Ela dera uma olhada no meu Facebook, vira o que eu estava fazendo e queria conversar. Em nosso encontro, ela me disse todas as razões pelas quais também queria participar. A pessoa da minha Lista da Covardia estava se candidatando! Depois da conversa, ela se inscreveu. Isso foi 10 dias antes da primeira convenção nacional de nossa empresa, e ela foi comigo. Seu nome é Bridget Cavanaugh e ela se tornou uma das profissionais mais valiosas de nossa equipe e da empresa inteira. Seus ganhos estão na casa dos milhões e ela é uma de minhas parceiras mais poderosas, confiáveis e eficazes. E este negócio também restaurou uma amizade estremecida, aumentou exponencialmente nosso respeito mútuo e desenvolveu um profundo amor uma pela outra e por nossas respectivas famílias.

Tremo só de pensar no que teria acontecido se ela não tivesse precisado de ajuda na área de relações públicas, porque eu não tinha qualquer plano de ligar logo para ela e qualquer uma de minhas colegas em nossa cidade facilmente poderia ter entrado em contato.

Não seja covarde. Isso pode lhe custar milhões e impedir que você tenha a vida que realmente quer.

Gerencie sua Lista Geral

Escrever a lista em um bloco é um ótimo jeito de começar. É fácil e duplicável. Mas esse não é um sistema eficiente a longo prazo. Depois que uma nova parceira de negócios passa pela primeira dezena de conversas, eu a incentivo a buscar um sistema melhor de gestão da lista. Como você vai fazer anotações quando falar com as pessoas – o que elas disseram, quais serão os próximos passos e quaisquer outras informações importantes para usar na continuidade? É preciso haver espaço para isso e facilidade para editar anotações anteriores.

Algumas consultoras adoram usar fichas arquivadas em caixas, separadas por divisórias com a data do próximo contato. Outras preferem um caderno com anotações após cada nome, ou notas no celular (embora a facilidade de perder tudo me deixe apavorada). Em nossa equipe, as planilhas de Excel são muito populares. Há novos aplicativos desenvolvidos especialmente para a gestão de listas. Quanto a mim, trabalho há anos com uma tabela em um documento de Word porque, francamente, sou mais ágil no Word do que no Excel. Os dois têm uma função "localizar" que é fácil de usar e permite procurar rapidamente a "comissária de bordo" que existe em sua lista quando uma nova história de sucesso for publicada no blog da empresa sobre uma mulher que se aposentou porque ultrapassou o salário que recebia na companhia aérea em que trabalhava.

Não importa qual sistema você vai usar, mas é preciso entender que pode acabar criando listas por toda parte. Afinal, nem sempre podemos prever quando nossa memória vai sugerir um nome. Apenas prometa a si mesma que todos os nomes escritos no verso de envelopes, em cadernos aleatórios ou nas notas do celular serão depois transferidos para sua Lista Geral. Você ficará muito agradecida por essa simples disciplina.

Aumente sua lista todos os dias

O segredo para aumentar a lista o tempo todo é sair de casa e fazer novos amigos todos os dias. Vá aonde as pessoas estão. Em vez de usar o caixa automático ou passar de carro pelo *drive-thru* da lanchonete, entre e fique na fila, onde encontrará outros seres humanos. Se você trabalha em casa, reveze-se trabalhando em diversos cafés e puxe papo com as pessoas próximas. Adote passatempos que envolvam pessoas. Aceite convites. Quando estiver no avião, nunca adormeça nem use fones enquanto não puxar conversa com quem estiver à sua volta. Nunca deixe de se apaixonar pelas pessoas – conectando-se com elas, aprendendo sobre elas e descobrindo se tem algo de valor para lhe oferecer.

> O segredo para aumentar a lista o tempo todo é sair de casa e fazer novos amigos todos os dias.

Sei que pode ser difícil. Às vezes ainda é difícil para mim. Sou uma extrovertida introvertida, ou introvertida extrovertida (nunca me lembro qual o jeito certo de chamar). Mas isso significa que, embora eu ame as pessoas e me sinta energizada ao estar com elas, depois de algum tempo preciso ficar sozinha. Agradavelmente sozinha. Porém o que aprendi foi que, se eu tiver alguns momentos sozinha para recarregar as energias – mesmo que sejam só 15 minutos de meditação ou leitura –, fica mais fácil obter o nível de socialização necessário para prosperar em nosso negócio, que é centrado em pessoas. Aceito todos os convites que recebo para eventos sociais, a menos que tenha alguma desculpa muito boa (como as crianças estarem doentes ou já ter recebido um convite melhor). Hoje mesmo pela manhã estava às voltas com um convite para uma "Balada das mães" numa oficina de vidro soprado. O evento vai acontecer depois de eu ter passado uma semana inteira com hóspedes em casa, seguida por uma semana de viagem esquiando com John e as crianças. Bem na época em que vou estar enfrentando o fim do mês em nosso negócio e tentando terminar este livro. Então minha reação emocional foi: "Meu

Deus, sem chance de eu assumir mais um compromisso." Mas aí meu cérebro de consultora experiente entrou em ação e olhou todas as outras pessoas convidadas. "É muita carne fresca", disse a mim mesma, e cliquei em "Sim" para confirmar minha presença.

Eu entendo, você está cansada. Está chovendo. Você conversou com outras pessoas a semana inteira. Os filhos sugaram cada restinho de energia que você tinha. Seu sofá e seu filme favorito clamam por você. Mas lembre-se de até que ponto você realmente quer isso. E tire a bunda da cadeira.

Ah, e os dias de tirar a bunda da cadeira sem estar bem-arrumada acabaram, ok? Porque, como levamos nosso negócio conosco a todo lugar, precisamos estar prontas para fazer novos amigos e temos que estar apresentáveis o tempo todo. Não me entenda mal. Não estou sugerindo que você precise estar perfeitamente vestida e maquiada sempre que sair pela porta. Mas é bom se sentir confiante e fazer a pessoa que você vai encontrar acreditar que está tudo sob controle. Em poucas palavras: se sua aparência for desleixada, ninguém vai querer usar o que você tem a oferecer nem montar um negócio para ter a sua vida.

E, quando sair, o que fazer com todas as pessoas que encontrar? Puxe conversas amistosas e veja se a pessoa reage do mesmo jeito. Se não reagir bem, você já saberá que ela não seria boa no que fazemos. Mas, se sorrir e for receptiva à conversa, se mostrará um ser humano afável, e você deve lhe fazer algumas perguntas para aprender um pouquinho sobre ela. Sua intenção não deve ser vomitar tudo sobre seu negócio em cima da pessoa. Este não é um processo de gratificação instantânea. Em vez disso, encontre uma razão para trocar informações de contato para que vocês possam continuar conversando em outra ocasião. Chamo isso de "pegar os números".

Sempre gosto de perguntar se a pessoa é daquele local. Se não for, geralmente ela lhe dirá de onde veio. Isso cria uma ótima oportunidade para mencionar: "Ei, meu negócio está se expandido para [o lugar de onde a pessoa vem]. Talvez você conheça alguém lá que se encaixe no que faço. Vamos trocar informações de contato." Então você vai para casa, adiciona aquela pessoa como amiga no Facebook e marca na agenda um lembrete para ligar para ela no dia seguinte.

Também conheço muita gente nova quando me ofereço como um recurso para elas. Quando a conversa leva a alguém que está procurando uma babá ou cuidadora de cães, eu me ofereço para mandar recomendações. Gosto genuinamente de ser útil às pessoas, e isso também me permite obter informações delas e manter contato. Mais uma vez, não se trata de gratificação instantânea, e sim de construir um relacionamento. Eu as ajudo e depois posso pedir que pensem se há alguém de sua rede que se encaixaria no meu negócio.

Quando estiver por aí, você certamente encontrará pessoas que conhece. Tenha uma conversa agradável e então diga: "Na verdade, eu ia procurar você. Comecei um negócio novo e adoraria receber sugestões suas. Posso ligar para você amanhã de manhã? Qual a melhor hora, às nove ou às 10h30?"

Outra habilidade importante é manter os ouvidos abertos. Agora que você está montando um negócio com produtos ou serviços e um modelo de negócio que pode ajudar os outros, fique atenta à oportunidade de oferecer soluções para o problema de alguém. Se estiver batendo papo com uma mãe na lateral do campo de futebol e ela admitir que faltou aos últimos três jogos por causa do trabalho, responda: "Talvez queira dar uma olhada no que faço. Pode ser que você consiga montar um negócio paralelo capaz de libertá-la desse horário de trabalho tão rígido. Não sei se estará interessada, mas certamente vale a pena dar uma olhada. Vamos trocar informações de contato e ligo para você amanhã à noite. A que horas você estaria livre depois que as crianças forem dormir?"

> Fique atenta à oportunidade de oferecer soluções para o problema de alguém.

Quando conhecer alguém na piscina durante as férias e a pessoa se queixar de que essa é a primeira viagem que faz em anos porque tem pouco tempo e dinheiro, você responde: "Talvez devesse dar uma olhada no que faço. Dá para montar um negócio paralelo capaz de criar uma reserva de dinheiro para as férias e até, algum dia, lhe dar mais liberdade de tempo. Não sei se daria certo, mas vale a pena conferir. Vamos trocar informações de contato e nos falamos quando voltarmos à vida real."

O mesmo conceito se aplica a problemas de que talvez você ouça falar e que seus produtos podem resolver. Tente escutar mais e você ficará surpresa com a quantidade de oportunidades que há para uma conversa.

Adoro observar as maiores recrutadoras de nossa equipe e o modo como levam seu negócio consigo a todo lugar. Elas veem o mundo como fonte de oportunidades. Não que andem por aí vomitando negócios e produtos nas pessoas. Mas são tão genuinamente amistosas que fazem novos amigos em qualquer lugar. Como Kim Krause, uma de nossas maiores consultoras. Ela faz amigos aonde quer que vá. Adora conversar com as pessoas e inicia conversas sem nenhuma intenção além de fazer contato com outros seres humanos. Se recebe uma resposta morna, ela não leva para o lado pessoal e não permite que isso a impeça de ser autenticamente amistosa. Kim já encontrou futuras clientes e parceiras de negócios em aviões, hotéis de férias, no banco, nas atividades dos filhos e em restaurantes. Todas essas conversas expandiram sua rede e contribuíram para sua renda milionária.

O mundo está cheio de gente que você conhece e pode conhecer, e nunca deixa de haver gente com quem conversar. A seguir vou lhe ensinar como usar essa lista. Afinal, a lista mais longa do mundo não servirá para nada se você não entrar em contato com as pessoas que estão nela!

Capítulo 4

QUAL É SUA HISTÓRIA?

Antes de lhe dizer como conversar com os outros sobre seu negócio e seus produtos ou serviços, preciso garantir que você saiba falar sobre si mesma. Em nosso negócio, somos contadoras de histórias e recebemos por isso. Portanto, quanto melhor for a sua, mais sucesso terá. É importante saber elaborar e revisar sua história e a das integrantes de sua equipe. Também é preciso aprender a adaptá-la para se conectar com a pessoa com quem estiver conversando. Assim será mais fácil mostrar as vantagens a ela. Além disso, explicarei por que você deve construir uma biblioteca sempre crescente de histórias.

Somos contadoras de histórias e recebemos por isso. Portanto, quanto melhor for a sua, mais sucesso terá.

Quando falamos do nosso negócio, falamos da história de nossas respectivas empresas: histórias sobre os produtos ou serviços e por que são diferentes, os prêmios e as classificações, a atenção da mídia, etc. Se você contá-los direito, todos esses fatos serão inquestionáveis. A última coisa que quer é contar histórias cheias de enrolação. E se sentir necessidade de "embelezar" seu relato, é porque não está bem informada sobre sua empresa ou está na empresa errada.

Embora os fatos sejam importantes, eles não bastam. Como diz o ditado, "Fatos comunicam; histórias vendem". É verdade. Os seres humanos agem com base na emoção. Qualquer revista de psicologia confirmará que as pessoas não são racionais, mas racionalizantes. Decidimos que queremos comprar alguma coisa e depois procuramos razões para confirmar que é uma boa ideia. Decidimos abrir um negócio e depois procuramos razões para confirmar que é uma boa ideia.

Uma história cativante é o que lhe permitirá atrair as pessoas emocionalmente. Prender a atenção delas explicando por que você quis iniciar um negócio próprio, o que fez (ou vai fazer) com ele e como alguém como elas pode fazer algo assim vai criar uma conexão emocional. Uma história bem elaborada são *fatos embrulhados em emoção*.

Antes, porém, há algo que todas precisamos deixar claro. Há muitas donas de negócios que acham que seu PORQUÊ é sua história. Mas isso é um equívoco. Como discutimos no capítulo 2, uma das primeiras coisas que fazemos ao começar nosso negócio é declarar o PORQUÊ – a razão para estar nisso. Você já sabe que seu PORQUÊ tem que ser grande e importante a ponto de levá-la a trabalhar constantemente em seu negócio, mesmo que esteja cansada, desanimada, superocupada e a vida atrapalhe.

Mas seu PORQUÊ não é a sua história. Ele faz parte dela. Portanto, enquanto desenvolve ou revê seu PORQUÊ e escreve e reescreve sua história, entenda que são coisas diferentes.

Os elementos de sua história são importantes

As histórias pessoais são feitas segundo uma fórmula, e depois de conhecê-la você conseguirá não só elaborar uma história poderosa e cativante para si mesma como ensinar à sua equipe como se faz. Eis a fórmula:

1. Quem você é e onde esteve.
2. O que aconteceu em sua vida que a fez procurar algo mais.
3. Como soube de sua empresa e por que tinha que fazer parte dela.
4. O que a empresa faz ou fará por você.

Essas histórias também são *curtas*. Estamos falando de 45 segundos a um minuto. Isso mesmo. Então, quando achar que conseguiu, cronometre. Há por aí muita gente em nossa profissão contando "histórias curtas" que as fazem falar durante dois ou mais minutos. Lembre-se: a pessoa com quem está falando sobre seu negócio e seus produtos é mais importante do que você. Portanto, conte sua história cativante e então passe a bola para ela e suas perguntas. É claro que, ao longo da conversa, você pode detalhar alguma parte de sua experiência para responder a um questionamento ou provar um ponto, mas sua história tem que ser curta, cativante e sem nada supérfluo ou redundante.

Quando comecei meu negócio, esta era minha história curta, decomposta nos elementos correspondentes.

1. Quem você é e onde esteve:
Passei toda a minha carreira presa ao trabalho pago por hora, à disposição dos clientes, primeiro como advogada, depois como executiva de relações públicas.

2. O que aconteceu em sua vida que a fez procurar algo mais:
Mas, com dois filhos pequenos, eu queria ter mais flexibilidade, determinar meus horários e ganhar mais dinheiro para crescer. É muita coisa para uma mãe que trabalha fora, mas dei um jeito de conseguir.

3. Como soube de sua empresa e por que tinha que fazer parte dela:
Uma cliente de relações públicas me apresentou (à empresa). Ela estava me pagando com o dinheiro que recebia do trabalho extra que fazia (nessa empresa). Reconheci na mesma hora que aquele era um modo de construir minha estratégia para sair do mundo corporativo e ter o estilo de vida que eu realmente queria.

4. O que a empresa faz ou fará por você:
Estou empolgada para criar uma equipe e uma base de clientes junto ao trabalho como relações públicas, os filhos e tudo o mais e criar o estilo de vida que quero. E estou entusiasmada para ajudar outras pessoas a também terem mais opções.

> Eis como tudo flui como uma história única:
> Passei toda a minha carreira presa ao trabalho pago por hora, à disposição dos clientes, primeiro como advogada, depois como executiva de relações públicas. Mas, com dois filhos pequenos, eu queria ter mais flexibilidade, determinar meus horários e ganhar mais dinheiro para crescer. É muita coisa para uma mãe que trabalha fora, mas dei um jeito de conseguir. Uma cliente de relações públicas me apresentou (à empresa). Ela estava me pagando com o dinheiro que recebia do trabalho extra que fazia (nessa empresa). Reconheci na mesma hora que aquele era um modo de construir minha estratégia para sair do mundo corporativo e ter o estilo de vida que eu realmente queria. Estou

empolgada para criar uma equipe e uma base de clientes junto ao trabalho como relações públicas, os filhos e tudo o mais e criar o estilo de vida que quero E estou entusiasmada para ajudar outras pessoas a também terem mais opções.

O que fiz nessa história? Atraí os outros para minha vida – contando onde eu estava, como me sentia, o que queria e também aonde isso me levaria. Você se sentiu atraída? Houve aí algo com que poderia se identificar? É bem provável. Não com tudo, é claro, mas, sem dúvida, com alguns aspectos.

Eu poderia ter dito muito mais? É claro. Mas, em 49 segundos, essa é uma base forte para nossa discussão. Se a pessoa com quem eu estiver falando for uma mãe ou profissional de carreira (ou ex-profissional de carreira) que lidou com esse difícil equilíbrio que todas buscamos na vida, alguém que queira crescer ou que conhece pessoas assim, conseguirei estabelecer uma conexão suficiente para que ela pare e escute ativamente.

Eis o que você deve deixar de fora

O que você deixa de fora em sua história é tão importante quanto o que você inclui nela. Tome cuidado para deixar estas coisas no lixo.

Tudo o que não for essencial à história.
Chamo isso de penduricalhos que realmente não acrescentam nada. Estudei jornalismo e sempre nos ensinavam que, se você escreveu 100 palavras mas pode falar com 50, corte. O mesmo vale para nossas histórias.

Para cortar esses penduricalhos você terá que ser impiedosa na revisão. Sei que é difícil, porque somos apegadas à nossa história: é quem somos. Por isso é bom pedir à *upline* que dê uma olhada, além de alguém fora do negócio que possa fazer uma revisão objetiva, como seu marido, sua melhor amiga ou sua mãe.

Sugerir comportamentos que você não quer que tenham.
Isso acontece o tempo todo e me dá arrepios. Lembre-se de que, em tudo o que diz e faz, você ensina os outros a conduzirem este negócio. Logo, quando sua história inclui "Soube de minha empresa e pesquisei tudo o que pude sobre ela nas duas semanas seguintes", você dá um tiro no próprio pé. Quer mesmo que as outras façam isso? Não prefere que elas leiam o que você lhes manda em um e-mail informativo, façam uma ligação triangular e tomem a decisão?

> Lembre-se de que, em tudo o que diz e faz, você ensina os outros a conduzirem este negócio.

E que tal este problema aqui: "Usei os produtos durante dois anos antes de me tornar representante da empresa." É a deixa para um grito de gelar o sangue! Se você foi usuária do produto ou serviço, não estou lhe dizendo que minta. Só estou lhe dizendo que omita. Por que plantar a semente de que seria preciso usar os produtos antes de começar a atuar no negócio? Você pode louvar o produto ou serviço sem insinuar que, antes de montar um negócio, a pessoa teria que ser mera usuária. Na verdade, em nossa empresa e, principalmente, em nossa equipe, temos milhares e milhares de pessoas que confiaram nos estudos clínicos e ficaram boquiabertas com as fotos de antes e depois, as histórias de sucesso e a garantia de dois meses sem usar os produtos antes. Se o fato de ter se apaixonado primeiro pelos produtos foi essencial para entrar no negócio, você pode incluir algo como "Adorei a ideia de ter a melhor pele da minha vida (dar a meu corpo a melhor nutrição ou seja lá qual for seu produto ou serviço) e ser paga por isso."

Depoimentos pessoais sobre produtos.
Acredito que histórias sobre produtos não devem ser incluídas em sua história curta, quer você seja novata, quer seja uma veterana experiente. Se incluir um depoimento pessoal sobre o produto, isso sugeriria a possíveis clientes e novas consultoras que é preciso ter uma história pessoal com o produto antes de começar a falar do negócio e do produto. Por isso a história curta que usei quando iniciei meu negócio não incluía nada disso. Ora, comecei a conversar com as pessoas antes que meu kit chegasse!

O depoimento pessoal sobre os produtos, se você o tiver, pode ser usado em outras partes da discussão. Falarei sobre isso adiante.

Um final que não seja quantificável.
Nossas histórias curtas devem levar a um clímax cativante. Quando se é novata, a história cresce até aquilo que você acredita que a empresa fará por você. Com o crescimento do negócio, você será capaz de contar o que gosto de chamar de "quantificáveis". Tudo bem, eu meio que inventei essa palavra. Segundo o dicionário, "quantificável" é um adjetivo, mas uso como substantivo porque a palavra descreve perfeitamente o que deve haver no fim de uma história. Em poucas palavras, os quantificáveis são os números que mostram o crescimento e o que o negócio está fazendo por você.

Como quantificáveis não me refiro a todas as pessoas incríveis com as quais você trabalha agora, a vida social ativa que este negócio lhe proporcionou nem o estímulo a sair de sua zona de conforto. Tudo isso é fabuloso e você pode incluir em seus 45 segundos a um minuto. No entanto, as principais perguntas que as pessoas fazem quando pensam em um negócio como o nosso são variações de "Esse modelo de negócio funciona mesmo? Posso fazer também?" Assim, embora algumas pessoas possam realmente se juntar a você pelos efeitos colaterais agradáveis que têm sido espantosos, a maioria vai se comprometer com um negócio próprio e pronto para funcionar com o intuito de poder comprar ou pagar alguma coisa. Para citar o lendário Cuba Gooding Jr., no filme Jerry Maguire, "Mostre o dinheiro!"

Em nosso negócio, o Código de Ética da Associação de Vendas Diretas (DSA, na sigla em inglês) nos proíbe de revelar a quantia real em dólares que ganhamos. No entanto, podemos pintar o quadro de como estamos crescendo e o que estamos obtendo por meio de imagens e explicações sobre o que nosso rendimento nos permite fazer em determinado período. São ótimos exemplos quaisquer itens pelos quais você pode pagar ("Estou custeando todas as atividades das crianças") ou uma comparação de ganhos em relação a seu emprego ou ex-emprego ("Estou no negócio há apenas 10 meses e já ganho metade do salário de meu emprego em tempo integral").

Depois do primeiro mês no negócio, consegui acrescentar alguns quantificáveis muito cativantes. "Depois de um único mês no negócio, tenho um grupo de clientes felizes cuja pele está mudando; recuperei meu investimento e paguei a prestação do carro."

Depois do segundo mês, minha história acompanhou esse *crescendo*: "Em meu primeiro mês, tive lucro e paguei a prestação do carro. Agora, mesmo vivendo ocupada e com apenas dois meses de trabalho em meu negócio, formei uma equipe de seis pessoas em Montana e na Califórnia, tenho clientes felizes em quatro estados, ganhei bônus e três promoções e acabei de pagar a hipoteca da casa!" Esses são quantificáveis que chamam atenção.

Se você doa tempo ou dinheiro a causas filantrópicas por causa de seu negócio, inclua isso. "Consegui largar o emprego e agora posso dedicar algumas horas por semana ao trabalho voluntário no hospital" ou "Consigo apoiar uma entidade que ajuda mulheres marginalizadas em países em desenvolvimento". Mesmo que a filantropia seja sua principal razão para montar um negócio, acredito com todas as forças que você deve incluir quantificáveis financeiros.

Sua história pode ser um ótimo ponto de partida para novas discussões. Se a última parte for "Consigo pagar todas as contas da casa com o que recebo, e com isso sobra mais dinheiro para viagens de férias", considere virar a conversa para a outra pessoa perguntando: "Se você tivesse um dinheiro a mais entrando para cobrir as despesas, o que adoraria poder fazer?"

Sua história evoluirá

Como seu negócio vai crescer, sua história vai evoluir. Reserve alguns minutos para revê-la todos os meses depois de receber seu pagamento. Conforme tiver mais e mais conversas e se sentir mais à vontade ao falar de seu negócio, você terá uma excelente noção de quais partes são cativantes ou não.

E quanto mais à vontade e bem-sucedida se sentir, talvez também se disponha a ser mais autêntica em sua história. Já vi muitas ocasiões em que a primeira história de uma parceira de negócios não era a história "real" e ela levou algum tempo para se sentir bem com a vulnerabilidade que surge quando contamos nossa verdade. Mas a verdade tem poder. Toda vez que reelaboravam a história para revelar sua verdade, nossas parceiras de negócios começavam a atrair mais gente e crescer mais depressa. As pessoas se sentem atraídas pela autenticidade, portanto não tenha medo de contar sua história real, mesmo antes de se sentir totalmente à vontade com isso.

> As pessoas se sentem atraídas pela autenticidade, portanto não tenha medo de contar sua história real, mesmo antes de se sentir totalmente à vontade com isso.

Vamos dar uma olhada na evolução da história de nossa amiga e parceira de negócios Layton Griffin. Quando ela começou, a história era: garota trabalha uma década na política; garota decide ter um filho e se transforma em dona de casa; garota é apresentada a essa oportunidade e percebe como é incrível; garota aproveita, vai bem e está empolgada porque o marido, que ama seu emprego, poderá ficar nele quanto quiser e não terá que correr atrás de um aumento de salário quando as necessidades e os sonhos do casal crescerem. Nada mau. Mas sua amiga e valiosa colega profissional Lauren Myers lhe disse certo dia que "o molho estava fraco". Layton concordou que a história era meio boba, mas argumentou que não tinha nenhuma causa ou desespero profundo e obscuro que a motivassem.

Mas Lauren a desafiou. "Como me conhece bem, Lauren me lembrou de que eu realmente tinha uma história e que era só uma questão de me forçar a ser mais vulnerável. O que é engraçado, porque sou um livro aberto, mas, por alguma razão, não era tão aberta e franca nesse caso."

A história de Layton então se tornou mais real. "Agora, quando conto minha história, ela começa com a década na política, depois me torno dona de casa, aí estava com quatro meses de gravidez do segundo filho quando meu marido sofreu uma grande reviravolta na carreira. Como sou filha de um casal de banqueiros e não estava gerando nenhuma renda, fiquei apavorada. Nos quatro meses que meu marido passou avaliando cuidadosamente suas opções e procurando o trabalho que o deixasse mais feliz, esgotamos cada centavo de nossa reserva de emergência. Provavelmente eu nem teria pensado nessa oportunidade quando me foi apresentada se a gente não tivesse acabado de passar por aquele ano apavorante e ainda aguentasse o processo lento de reconstruir a reserva de emergência, agora com duas bocas para alimentar e um novo emprego que, a princípio, pagava a meu marido bem menos do que ele ganhava antes. Mas, ao ver como ele estava feliz, como era valorizado e, em consequência, como todos nós estávamos felizes, não queria que ele fosse forçado a deixar um emprego tão gratificante para correr atrás de um salário mais alto. Este negócio foi a oportunidade de nos ajudar a construir uma rede de segurança e lidar com as despesas inesperadas que apareceram. Agora estabeleci a meta de igualar a renda do meu marido, que é bem maior do que o salário que ele deixou para trás, o que o deixa empolgado. No processo, faremos uma poupança maior do que a que tínhamos quando tanto precisamos há apenas quatro anos. Temos segurança, o que é inestimável."

Layton está muito mais ligada à sua história agora e afirma que as pessoas com quem conversa também se envolvem mais, o que tornou os contatos mais divertidos e muito mais produtivos. Sua coragem de ser autêntica e vulnerável foi, definitivamente, um grande fator de contribuição para seu crescimento acelerado, que lhe rendeu um belo carro de presente!

Eis como falar sobre inícios lentos

E se você já trabalha nisso há algum tempo sem muito sucesso, mas decidiu melhorar a situação? Mais uma vez, prefiro sempre a autenticidade, portanto, diga a verdade. Talvez sua verdade seja:

No ano passado, adorei o desconto de atacado e a dedução de impostos para pequenos negócios, mas tratei tudo como um passatempo. Estou cercada de histórias de sucesso sobre o que pode acontecer quando tratamos isso como um negócio e estou disposta a correr atrás disso. Procuro pessoas para correr ao meu lado. Você é uma delas?

Ou:

Quando comecei, fiz tudo do meu jeito. Não era treinável e deixei o medo me dominar. Mas estou cercada de histórias de sucesso sobre o que pode acontecer quando somos treináveis e seguimos este negócio simples e duplicável. E não vou deixar o medo me impedir de alcançar minhas metas.

Adapte sua história ao público

Quando ficar mais à vontade com sua história, você conseguirá adaptá-la com base no que acha que vai conectá-la melhor a cada pessoa. Por exemplo, quando converso com uma dona de casa que está há anos fora do mercado de trabalho, dou menos ênfase à minha carreira bem-sucedida e me concentro mais em ser uma mãe que quer ter tudo. Quando converso com alguém que não tem nem quer ter filhos, menciono rapidamente o fato de ser mãe para ilustrar que tenho pouco tempo livre, mas não me concentro na necessidade emocional de ter mais flexibilidade para ficar com as crianças.

Construa sua biblioteca de histórias

Como discutimos, uma das principais perguntas que suas candidatas fazem é: "Será que consigo?" A melhor maneira de lhes dar confiança é mostrar que alguém como elas está conseguindo. No entanto, nem sempre você será esse alguém igual a elas. Então, a melhor maneira de lhes mostrar isso é com a história de outras consultoras. Incentivo você – na verdade, imploro – a se disciplinar na coleta de histórias, assim como coletaria livros se estivesse montando uma biblioteca. Sua coleção deve incluir todas as categorias sociais – homens, mulheres, casais, várias idades e origens diversas.

Eis aqui algumas categorias para acrescentar à sua biblioteca:

- dona de casa;
- profissional com emprego em tempo integral;
- mãe que trabalha fora;
- mãe solteira;
- advogada;
- corretora de imóveis;
- profissional do setor financeiro;
- comissária de bordo;
- professora;
- assistente social;
- estudante;
- profissional da área de saúde (médica, enfermeira, quiroprática, massagista, fisioterapeuta);
- homem (se sua empresa se concentrar principalmente em mulheres);
- casal construindo o negócio em conjunto;
- alguém que não podia pagar o kit inicial, mas deu um jeito, e o que ela fez com o negócio;
- alguém com uma história de sucesso no primeiro e/ou no segundo mês que mostre que é possível um retorno rápido do investimento.

Você será capaz de contar essas histórias em conversas com seus candidatos e em ligações triangulares. Na verdade, não há ferramenta melhor para responder às objeções do que histórias de sucesso (fique ligada, trataremos das objeções no capítulo 7).

> Não há ferramenta melhor
> para responder às objeções do
> que histórias de sucesso.

Eu a incentivo a criar em sua equipe a cultura de contar histórias de sucesso. Quando der crédito às integrantes de seu time, não se esqueça de falar um pouco sobre elas para que outras pessoas possam acrescentá-las a suas bibliotecas. Inclua uma história de sucesso como destaque na *newsletter* ou no grupo de Facebook de sua equipe. Se tiver a sorte de ter um blog da empresa que apresente seus colegas, como fazemos (com uma ótima funcionalidade de busca), leia-o religiosamente e não se esqueça de compartilhar as histórias pertinentes com suas candidatas e novas parceiras de negócios.

Eis um valioso efeito colateral de colecionar essas histórias: você estará aumentando constantemente sua crença na empresa e no fato de que você também consegue cumprir suas metas.

Qual é sua história pessoal com o produto ou serviço?

Como já discutimos, ao iniciar seu negócio, talvez você não tenha uma história pessoal com os produtos. Em nossa empresa, não é raro fazer contatos e falar sobre o negócio e os produtos antes mesmo de recebermos nossos kits.

Quando você for novata e ainda não tiver experimentado os produtos, seja franca se alguém perguntar se já os usa. "Mal posso esperar até que meu novo kit de negócios chegue. Fiquei tão empolgada com os (estudos clínicos/depoimentos/fotos de antes e depois) que nem quis esperar para já começar a montar meu próprio negócio."

Depois de ter usado os produtos ou serviços, você terá sua própria história. E quando a tiver, não se esqueça de seguir as mesmas regras que citamos para sua história curta. Quando sua empresa lançar novos produtos e serviços, use o que for possível para falar pessoalmente sobre eles. E, como no caso das histórias de negócios, monte uma biblioteca de relatos sobre produtos ou serviços de sua empresa. Por exemplo, no meu caso, não tenho pele sensível, mas consegui vender muitos produtos nossos para peles sensíveis porque colecionei histórias e fotos de resultados reais de pessoas cuja pele se transformou.

Fatos comunicam; histórias vendem. Portanto, quanto mais cedo você se aprimorar em criar, revisar e colecionar histórias, melhor se sairá neste trabalho. Se estiver se alimentando constantemente de histórias sobre o impacto positivo que sua empresa e seus produtos geram, você aumentará sua crença e também será capaz de inspirar outras pessoas.

Fatos comunicam; histórias vendem.
Portanto, quanto mais cedo você
se aprimorar em criar, revisar
e colecionar histórias, melhor
se sairá neste trabalho.

Capítulo 5

COMO ABRI CAMINHO ATÉ O PRIMEIRO MILHÃO E COMO VOCÊ TAMBÉM VAI CONSEGUIR

Já estabelecemos que, para cultivar um grande negócio, você terá que conversar com muita gente. Foi o que fiz.

Falo por experiência própria quando digo que não é fácil ganhar 1 milhão nesta profissão. Dá muito trabalho. Trabalho persistente. São necessárias milhares de conversas – com pessoas conhecidas, pessoas que você conhecerá e pessoas que sua equipe apresentará a você. Foi o que fiz. Primeiro, falei para recuperar meu investimento. Depois, falei para igualar minha renda nas relações públicas. Depois, para aposentar John do consultório. Por fim, falei para abrir caminho até uma renda com sete dígitos. E quer saber? Você também consegue.

Portanto, se você chegou a este ponto do livro e a ideia de ter que conversar com milhares de pessoas lhe dá vontade de fugir para as montanhas, talvez esta opção não combine com você e seja melhor dar este livro a uma das outras integrantes de sua equipe. Mas, antes, vamos um pouco mais fundo.

Sobre essa coisa de "milhares de conversas"... Vamos entender qual parte a deixa inquieta. Se o fator "eca" vem de você não gostar de pessoas o bastante a ponto de querer conversar o tempo todo

– com todo mundo que conhece, que vai conhecer e com quem vai ter contato –, então lhe dou os parabéns por ser franca consigo mesma. E vou ser franca também: provavelmente você não vai conseguir uma renda de 1 milhão, a menos que seja um daqueles unicórnios mágicos (e sinto muitíssimo por não estar em nossa equipe). Mas talvez, só talvez, depois de continuar comigo pelos próximos capítulos, eu consiga ajudá-la a se apaixonar pelo ato de conversar com as pessoas. Talvez consigamos transformar você em alguém que se sente energizada e iluminada ao interagir com outros seres humanos e lhes mostrar produtos e uma empresa capaz de melhorar e até mudar a vida deles.

Talvez você tenha receio porque fica tão insegura em relação ao que dizer que a ideia de se esforçar durante tantas conversas parece uma sessão interminável de tortura. Na verdade, isso não é problema, porque vou lhe ensinar a conversar de um jeito cativante, autêntico e orgânico.

A ideia de falar com milhares de pessoas a deixa cansada? Do tipo: "Como é que vou conversar com tanta gente? Isso é como construir a ponte Golden Gate ou esculpir a cara dos presidentes no monte Rushmore!" Mas nada disso me preocupa, porque, quando pegar o jeito, você vai conversar o tempo todo e se divertir com isso.

Como você, eu comecei sozinha. Então passei a conversar com os outros para procurar quem quisesse usar os produtos e quem quisesse vir brincar comigo. Depois ensinei esse pessoal a fazer a mesma coisa – acrescentar clientes e integrantes à equipe – e a duplicação maluca começou a acontecer.

Não vou dourar a pílula. Quando comecei a fazer contato com as pessoas para falar sobre meu novo negócio, eu era péssima. Falava em excesso, fazia perguntas de menos, escutava pouco e cuspia fatos de mais. Cheguei até a ouvir uma crítica depois de meu monólogo: "Na próxima vez, talvez seja bom respirar um pouco e fazer algumas perguntas, para saber se a pessoa com quem você está falando ainda está aqui."

Eis a boa notícia: embora eu fosse horrível e não soubesse o que estava fazendo, comecei a montar uma equipe e uma base de clientes. Na verdade, a primeira pessoa com quem entrei em contato se uniu a mim no negócio menos de uma semana depois e se tornou uma de nossas integrantes mais valiosas e uma das principais líderes de toda a nossa comunidade. Obrigada, Nicole Cormany!

Regras para fazer contato

Provavelmente, você tem roteiros e temas de discussão oferecidos pelo departamento de treinamento de sua empresa e pelas treinadoras de sua *upline*. E é provável que sejam muito bons. Mas tenho a sensação de que provavelmente se concentram em fatos. O que comecei a aprender quando fiquei mais à vontade conversando com as pessoas é que eu poderia ser muito mais eficiente nas conversas se não esmurrasse todo mundo com fatos e seguisse algumas regras simples, porém rígidas. Ao seguir essas regras, você se conectará de forma autêntica e emocional com as pessoas e achará muito mais fácil estabelecer conversas que reverberem em suas candidatas. Você também achará o processo mais significativo e eficiente. Portanto, aqui estão elas.

Regras para fazer contato

Regra nº 1: Não se apegue ao resultado de nenhuma conversa.
Regra nº 2: Não saia à caça.
Regra nº 3: Menos é mais.

Regra nº 4: Seja autêntica.
Regra nº 5: Não se pode dizer a coisa errada à pessoa certa.
Regra nº 6: Quando sentir que está convencendo, pare.
Regra nº 7: Escute. Escute de verdade.
Regra nº 8: Trabalhe de reunião em reunião.
Regra nº 9: Não conte com os ovos dentro da galinha.
Regra nº 10: Comece com o negócio, siga com os produtos.
Regra nº 11: Não deixe recados longos na secretária eletrônica.
Regra nº 12: Comece apontando a vantagem que há para o outro.
Regra nº 13: Se o negócio receber um "não", peça indicações.
Regra nº 14: Não termine a conversa sem falar sobre a oportunidade de se tornar cliente.

Regra nº 1: Não se apegue ao resultado de nenhuma conversa.
Nosso trabalho é conversar com pessoas o tempo todo, apresentando-as constantemente a nosso negócio e a nossos produtos e serviços. Também faz parte receber muitos "nãos", porque isto, amigas, é mesmo uma loteria. Se você permitir que o "não" a decepcione, isso vai reduzir seu ritmo. Se permitir que o "talvez" lhe dê falsas esperanças, isso vai reduzir seu ritmo. Não deixe que ninguém nem nenhuma conversa diminua seu ritmo ou a distraia de suas metas.

Regra nº 2: Não saia à caça.
Esta pode parecer anti-intuitiva, mas é essencial para o sucesso de seu negócio e para ter conversas autênticas. Se sua intenção for "quem vou pegar hoje?", tenho quase certeza de que estará mais

concentrada em seus próprios planos do que em ouvir as pessoas com quem irá conversar. Você também corre o risco de forçar a barra ou, pior, parecer desesperada.

Em vez disso, adote a intenção de "tenho algo especial para compartilhar e procuro pessoas que queiram o que tenho a oferecer". Não é apenas artifício quando dizemos que não somos vendedoras, mas compartilhadoras. De fato, compartilhar é o que fazemos o tempo todo. Como compartilhadoras, não nos concentramos no que podemos obter das pessoas. O que fazemos é ter curiosidade sobre a vida, as esperanças e os desejos delas, e estamos genuinamente interessadas em dar – dar informações, dar soluções e, se o encaixe for bom, dar mentoria. Se alguém não quiser, não haverá decepção, porque, para começar, não estávamos atrás de nada. E isso vai ajudá-la com a Regra nº 1 – não se apegue ao resultado de nenhuma conversa.

Em nossa profissão, o serviço não é obter o que queremos, é ajudar outra pessoa a obter o que ela quer. Isso se aplica às clientes e às integrantes da equipe. O sucesso que você busca virá quando ajudar muita gente a obter o que quer.

Regra nº 3: Menos é mais.

Em nossas conversas, menos é mais. Não caia na armadilha de pensar que, se disser à sua candidata tudo o que sabe sobre nosso negócio e seus produtos ou serviços, ela ficará admirada com seu domínio do assunto e se convencerá de que você está revelando a melhor coisa desde a invenção das cintas modeladoras. Você corre o risco de massacrá-la, entediá-la ou coisa pior. Portanto, por favor, nada de vômito verbal.

Em vez disso, pense em atiçar a curiosidade da candidata. Ofereça a ela informações relevantes e suficientes sobre o negócio e o produto apenas para levá-la a examinar melhor, para levá-la ao próximo passo. Para que ela queira o próximo encontro.

Quando estiver conversando, pergunte a si mesma: "Será que estou falando demais? Estou sendo a chata das vendas neste momento?"

> Ninguém quer ser a chata das vendas.

Regra nº 4: Seja autêntica.
Não tente soar como eu ou como qualquer outra pessoa. Seu poder – o poder de todos – vem de ser autêntica. As pessoas reagem a pessoas reais. Você é simplesmente um ser humano que tem algo a oferecer e que só está tentando descobrir se isso tem valor para o ser humano com quem está conversando.

Quando penso em todas as líderes incrivelmente bem-sucedidas de nossa empresa, todas são únicas... unicamente elas mesmas. Não tentam ser nem parecer mais ninguém. Deixam sua personalidade transparecer em conversas, apresentações e nas mídias sociais. E suas redes reagem a elas porque sabem que não é enrolação.

Seja você mesma. Seja você, preparada e confiante. É aí que está seu poder.

> Seja você mesma. Seja você, preparada e confiante. É aí que está seu poder.

Regra nº 5: Não se pode dizer a coisa errada à pessoa certa.
O fato de Nicole ter se juntado a mim no negócio mesmo depois daquela minha terrível primeira tentativa de explicar o que eu estava fazendo, como os produtos eram ótimos e o que eu achava que aquilo faria por mim prova esta regra. O entusiasmo

desmedido pode nos ajudar muito, e essa é uma das razões para conversar pessoalmente em vez de usar e-mails ou mensagens enviadas pelo celular. Não deixe que o medo de não dizer tudo perfeitamente a impeça de entrar em contato com alguém. Adoro o que Tony Robbins diz sobre ser perfeito: "A perfeição é o padrão absolutamente mais baixo que podemos ter para nós, porque é impossível de atingir."

Essa busca da perfeição leva ao problema do ovo e da galinha: você não pode melhorar se não conversar com as pessoas, mas tem medo de falar com as pessoas porque ainda não é boa o bastante. Enquanto você estiver dando voltas dentro da própria cabeça, outra pessoa entrará em contato com as que estão em sua lista e as conquistará como clientes ou parceiras de negócios. Se alguém estiver procurando o que você tem a oferecer e se for o momento certo para essa pessoa, ela morderá a isca. No caso de Nicole, o patrão dela estava com dificuldade de pagar os funcionários e ela estava em busca de um trabalho flexível em meio período que lhe permitisse dedicar tempo às duas filhas. Ela não estava achando muita coisa, e aí eu lhe telefonei.

Regra nº 6: Quando sentir que está convencendo, pare.
Evite entrar no "modo de convencimento" porque, na melhor das hipóteses, é improdutivo e, na pior, causa repulsa. Costumo ouvir consultoras se lamentarem: "Preciso convencer (insira o nome do candidato) a participar." Logo no começo, aprendi que não queremos convencer ninguém de nada.

Como saber se estamos no modo de convencimento? Quando sentir que está tentando forçar sua candidata a comprar ou se inscrever, você estará no modo de convencimento. Garanto que não vai terminar bem. Empurrar alguém para tomar uma decisão a nosso favor termina nos retardando e causa irritação na coitada da pessoa. Isso apenas dará a ela vontade de fugir para longe. E, se ela realmente comprar de nós ou entrar em nossa equipe, não vai gostar de estar ali, porque a decisão na verdade não terá sido dela.

> Empurrar alguém para tomar uma decisão
> a nosso favor termina nos retardando
> e causa irritação na coitada da pessoa.

Quando perceber que está no modo de convencimento, é provável que não esteja fazendo as perguntas certas para ligar a pessoa ao que isso de fato poderia fazer por ela. Ou ela simplesmente não esteja pronta.

Regra nº 7: Escute. Escute de verdade.

Tão importante quanto falar com a postura e o tom de voz corretos para tocar nos pontos certos e contar uma história cativante é escutar. Afinal, você só vai aprender quem é a outra pessoa, o que ela quer e o que teme se lhe der espaço para falar e escutar de verdade. Quanto mais souber sobre sua candidata, mais poderá lhe mostrar por que o que você oferece se encaixa no que ela está buscando.

Regra nº 8: Trabalhe de reunião em reunião.

Quando as integrantes de nossa equipe se queixam de que se sentem "caçando candidatas" assim que começam a conversar com elas, é sempre por um motivo. Elas não marcaram a próxima reunião enquanto falam com a candidata. Às vezes, é porque simplesmente se esquecem de dar esse importante passo. Ou têm medo de "forçar a barra".

Ser profissional nunca é forçar a barra. Seu tempo é valioso, e o da candidata também. Portanto, assim que uma candidata entrar em seu funil, trabalhe de reunião em reunião, em geral com 24 a 48 horas no máximo entre uma e outra, à medida que a conduz pelo processo de determinar como se encaixará em seu negócio – como integrante da equipe, como cliente e/ou como fonte de contatos. Marcar a próxima conversa durante o contato atual permitirá um processo muito mais eficiente e agradável, tanto para você quanto para a candidata.

Regra nº 9: Não conte com os ovos dentro da galinha.
É tentador pôr uma marquinha na coluna de vitórias antes que a integrante da equipe realmente se inscreva ou que a cliente compre. Mas não faça isso! Sei por experiência própria – infelizmente por muitas experiências – que ninguém entra antes de entrar. Se contar com esse ovo prematuramente, você vai diminuir seu ritmo na busca por outras candidatas.

Regra nº 10: Comece com o negócio, siga com os produtos.
É simplesmente mais eficiente começar com a discussão sobre o negócio, passar ao pedido de contatos e depois aos produtos ou serviços. Talvez seja mais confortável para você começar com os produtos ou serviços, mas há o risco de ficar encurralada. Se a pessoa não se interessar em experimentar seus produtos ou serviços, como é que você vai dizer "você não está interessada no que nossa empresa vende, mas deveria pensar em abrir um negócio que gira em torno dessa mesma coisa que não lhe interessou"? Não dá.

Regra nº 11: Não deixe recados longos na secretária eletrônica.
É provável que você caia em montes de secretárias eletrônicas quando fizer contato com as pessoas de sua rede antes de ter marcado um horário para conversar. Peço que não cometa o erro de novata de deixar um recado longo e incoerente, cheio de informações sobre seu negócio empolgante que, erroneamente, você

acha que motivará a pessoa a telefonar de volta para você. Seja breve, seja leve e se assegure de avisar que vai ligar de novo se não receber retorno da pessoa.

"Oi, Jane, aqui é Romi. Pena que não a encontrei, mas adoraria lhe perguntar uma coisa. Eu estou livre hoje à noite às XX horas ou amanhã de manhã às XX. Ligue pra mim. Se não, tento de novo amanhã. Obrigada! Até logo!"

Você quer lhe perguntar alguma coisa, diz quando estará disponível e vai ligar de novo. Pronto.

Regra nº 12: Comece apontando a vantagem que há para o outro. Muitas consultoras – eu, inclusive, quando comecei – iniciam a conversa com as candidatas dizendo logo o que fazem na Empresa X e citando fatos, números e virtudes da empresa e de seus produtos ou serviços. Mas logo descobri que essa não é a melhor maneira de fazer contato emocional imediato com as pessoas com quem conversamos.

À medida que aprimorava meu talento de buscar clientes e parceiras, notei que as pessoas ficavam mais atentas e envolvidas na conversa quando eu começava a ligar os pontos entre o que tinha a oferecer e o que isso poderia fazer por elas. Então passei a iniciar a conversa apontando a vantagem para elas e contando de que modo pessoas iguais a elas estavam construindo um negócio como este. Diante dessa abordagem, as pessoas com quem eu conversava ficavam mais presentes e atentas ao que eu dizia desde o princípio. As conversas também eram mais eficientes, naturais e interativas. Eram conversas de verdade, não monólogos. E meu nível de fechamentos subiu. Eu descobrira alguma coisa.

Então comecei a treinar as integrantes mais próximas de nossa equipe para que fizessem isso, e elas relataram os mesmos resultados. Depois apresentei a técnica à equipe de modo geral. As integrantes contaram que, além de terem mais sucesso com essa abordagem, estavam gostando mais das conversas. E, se estávamos nos divertindo, ficaríamos com vontade de fazer mais. Assim, o número de contatos aumentou, o que levou a mais clientes e mais parceiras de negócios.

Portanto, vamos falar sobre como começar apontando a vantagem que há para o outro. Tudo parte de um exercício simples que faço antes de entrar em contato com alguém. Imagino os pontos de dor da pessoa e de que modo nosso negócio pode reduzir ou eliminar essa dor. É simples assim. São só dois minutos adicionais em seu trabalho preparatório, mas vale muito a pena.

Veja como funciona. Pegue uma folha de papel e trace uma linha vertical no meio para formar duas colunas. No alto da coluna da esquerda, escreva "DOR"; no da direita, "SEM DOR". Então pense em todos os possíveis pontos de dor da vida dela e de que modo nosso negócio pode oferecer alívio. A partir daí, você será capaz de elaborar os pontos iniciais da conversa.

> Imagine os pontos de dor da pessoa e de que modo nosso negócio pode reduzir ou eliminar essa dor.

Vamos examinar como poderia ser a lista de alguns tipos de pessoas. Digamos que você queira fazer contato com sua amiga Jane, que é mãe e dona de casa, mas já trabalhou numa grande empresa. Talvez ela tenha mencionado seus pontos de dor: sente falta da convivência com adultos e diz que sua cabeça está virando mingau. Ela detesta ter que pedir dinheiro ao marido para gastos pessoais, ou talvez as finanças da família estejam apertadas com um salário só. Ela sente que perdeu um pedaço de si mesma quando abandonou a carreira.

Agora vamos falar de que modo seu negócio pode reduzir essa

dor. Ele pode dar a Jane a capacidade de ainda ser a mãe em tempo integral que tem sido, mas também permitir que construa algo só dela. O negócio pode ajudá-la a criar o fluxo de renda extra de que talvez precise, seja para pagar as atividades dos filhos ou para comprar sapatos novos. Além disso, nosso negócio é superdivertido e pode oferecer o tão necessário ambiente social adulto.

Eis como ficaria a lista:

DOR	SEM DOR
• Sente falta de ganhar o próprio dinheiro	• Gerar renda
• Sente falta da convivência com adultos	• Negócio social/colaborativo
• Sente falta de ter uma identidade além de esposa/mãe	• Poder ter o que quer e ainda ser mãe em tempo integral

Portanto, como pegar as pepitas de ouro da lista e transformá-las num início de conversa autêntico e cativante quando sua amiga atender o telefone?

Que tal algo assim: "Oi, Jane, aqui é Romi. Tenho pensado bastante em você ultimamente. Tem alguns minutos para eu lhe fazer umas perguntas? Preciso de uns cinco minutos. Pode ser agora?"

Se ela disser que agora não dá, marque outra hora. Diga: "Sem problema. Podemos conversar quando você estiver livre. Posso ligar hoje à noite. Qual horário é melhor, às oito ou às nove?"

Mas, se ela disser "Claro, o que é?", comece apontando a vantagem.

"Andei pensando em você porque me lembrei daquela conversa em que disse que adora estar com seus filhos, mas sente muita falta de ter algo só seu para manter a sanidade, a identidade e a conta bancária. Lembrei disso porque agora estou trabalhando com muitas mulheres como você que passam algumas horas por semana montando um negócio próprio e lucrativo, mas continuam a ser mães em tempo integral com uma agenda flexível. Elas conseguem pagar as atividades dos filhos, criam reservas para as férias e a universidade e até, em alguns casos, substituem a renda da carreira que tinham em grandes empresas, como a que você teve. Não sei se seria uma boa para você, mas talvez seja um jeito de matar dois coelhos com uma cajadada só. Adoraria lhe contar em que estou pensando."

Vê como foi tudo sobre ela? Se você fosse a Jane, se essa fosse sua vida e eu lhe indicasse algumas dores suas e como eu conseguiria aliviá-las, você não acha que, no mínimo, diria: "Tudo bem, fiquei curiosa. Pode me contar o que está fazendo?"

Então, a partir daí, você continuaria com alguns pontos introdutórios curtos sobre sua empresa e faria a transição para sua história pessoal e os atributos principais de seu negócio e dos produtos ou serviços. Depois terminaria: "Jane, você ficou curiosa a ponto de querer saber mais e ver se seria uma boa opção para você?"

Observe que minha postura e minha linguagem deixam claro que na verdade não estou apegada ao resultado, quer Jane diga que sim, quer diga que não. Só estou contando sobre meu negócio e ajudando Jane a descobrir se seria uma boa opção para ela.

Vejamos outro exemplo da análise e da introdução Dor/Sem dor para você pegar o jeito da coisa.

Digamos que você conheça alguém, vamos chamá-la de Dana, que é advogada e mãe e está, inegavelmente, numa roda-viva.

Você a viu sair correndo para o jogo dos filhos, chegar lá atrasada, com aparência angustiada e cansada. Mas vocês não são próximas. São apenas conhecidas. No entanto, dá para ter alguns palpites sobre as dores dela.

Ela quer mais flexibilidade. Está exausta. Talvez ande pensando em como fugir da rotina corporativa, mas não consegue descobrir como fazer isso, porque a família precisa de sua renda como advogada.

Sua lista:

DOR	SEM DOR
• Cansada da agenda lotada	• Ter flexibilidade para a família
• Precisa da renda como advogada	• Poder obter uma renda substituta
• Não gosta da pressão no trabalho	• Ter mais diversão na vida

O início da conversa seria algo como: "Dana, estou vendo o que você faz. Você é uma supermulher com seu importante emprego e seus filhos. Queria lhe falar de meu negócio porque trabalho com muitas mulheres como você, que equilibram os filhos e um emprego exigente. Elas estão montando um negócio paralelo que vem crescendo o suficiente para lhes dar mais opções, inclusive sair da rotina corporativa. Adoraria lhe contar o que ando fazendo. Mesmo que não seja para você, tenho a sensação de que talvez conheça alguém que eu possa ajudar."

Quando pegar o jeito dessa abordagem, você poderá usá-la com todo mundo com quem fizer contato – enfermeiras, professoras, corretoras de imóveis, qualquer uma. Mas talvez se pergunte como usar essa abordagem se não fala com a pessoa há muito tempo ou não a conhece bem. Se forem amigas no Facebook, é possível obter muitas informações pelas postagens. Eis um exemplo de como ajudei uma integrante da equipe a fazer um trabalhinho de detetive para encontrar potenciais pontos de dor.

Julie, integrante de nossa equipe, queria entrar em contato com Lynn, antiga colega sua na universidade da região onde mora, em

Louisville. Elas não conversavam havia mais de uma década, e Julie não sabia o que dizer. Perguntei o que ela sabia sobre Lynn. "Sei que tem muito sucesso na carreira agora, no setor financeiro, de contabilidade ou algo que tem a ver com dinheiro. Ela sempre teve uma ótima personalidade e sempre foi muito objetiva e cheia de energia."

Eu disse a Julie que apostava que ela descobriria mais do que isso sobre Lynn em sua página do Facebook. Demos uma olhada no mural de Lynn e confirmamos que ela gosta de viajar e aprecia as coisas boas da vida, porque postou sapatos maravilhosos e exibia joias lindíssimas em suas fotos. Também descobrimos que ela tem um filho no ensino médio que deve começar a faculdade em poucos anos. Embora não soubéssemos com certeza qual era a dor de Lynn, conseguimos criar a lista para dar a Julie alguns bons pontos introdutórios.

DOR	SEM DOR
• Gostos caros	• Mais renda
• Filho vai em breve para a faculdade	• Aumentar suas economias para pagar a universidade

Não é muito, mas era do que Julie precisava para se preparar para entrar em contato. Como não tinha o telefone de Lynn, ela entrou em contato por mensagem do Facebook, na tentativa de marcar uma ligação.

"Lynn, faz um tempão que não nos falamos, mas gosto de acompanhar suas postagens. Fico contentíssima ao ver que sua vida parece ser muito boa. Gostaria de lhe fazer algumas perguntas sobre meu negócio, porque talvez você conheça algumas pessoas em Louisville que eu poderia ajudar. Trabalho com muitas mulheres que gostam de fazer uma renda extra para gastar com férias, sapatos novos ou até pagar a faculdade dos filhos. Sei que seu filho vai para a universidade logo, e talvez você queira saber mais até para si mesma. Adoraria marcar uma hora para uma conversinha de dez minutos... Bem, talvez vinte, para podermos contar como anda a vida. Posso ligar amanhã à noite, às 20h ou 20h30, ou na quinta-feira ao meio-dia. Diga qual horário é melhor para você e em que telefone eu a encontro."

Observe que treinei Julie para dar a Lynn horários em que ela não estaria mergulhada no trabalho: Julie ofereceu dois horários à noite e um na hora do almoço.

Lynn respondeu no mesmo dia. Elas tiveram uma conversa maravilhosa, e Julie conseguiu deixar claro qual poderia ser a vantagem para Lynn. Ela não estava pessoalmente interessada, porque amava seu emprego lucrativo e a herança que recebera gerava rendimentos mais do que suficientes para a família. Mas pôs Julie em contato com uma amiga, com gosto semelhante por coisas boas e com dois filhos no ensino médio – e essa amiga acabou se juntando à equipe. Lynn se tornou cliente.

Mesmo que não consiga descobrir como anda a vida de alguém hoje em dia, você pode se basear no que sabia sobre aquela pessoa no passado. Fiquei anos sem falar com Shelley, minha amiga de infância. Mas eu lembrava muito bem que sua ambição era visível mesmo quando pequena. Ela ia atrás do que queria e fazia as coisas acontecerem. Também tinha uma personalidade magnética. As pessoas adoravam ficar perto dela.

Embora eu não conhecesse nenhum dos seus pontos de dor, entrei em contato com Shelley contando que estava trabalhando com pessoas que me fizeram lembrar dela. Não tinha seu número de telefone, então mandei mensagem pelo Facebook.

"Shelley, sei que não nos encontramos há séculos, mas tenho pensado muito em você ultimamente porque estou trabalhando com pessoas bem parecidas contigo. Adoraria lhe fazer algumas perguntas para meu negócio. Você sempre foi direta, sempre foi gente que faz, e tem uma personalidade muito magnética. É esse tipo de coisa que procuro em meu negócio. Nem sei se o que faço seria uma boa opção para você. Mas, se for, você poderia se divertir muito investindo algumas horas por dia para montar algo bastante substancial. Se não for, acho provável que você conheça outras pessoas dinâmicas como você que talvez se interessem. Quando poderíamos conversar uns cinco ou dez minutos por telefone para eu lhe passar as informações? Estou livre hoje depois das oito da noite ou amanhã ao meio-dia."

Shelley respondeu e me disse que estava curiosa para saber mais sobre o negócio e a minha vida. Quando conversamos, soube de seus pontos de dor e fui capaz de explicar que este negócio reduziria a longa jornada num emprego estressante sem dinheiro suficiente para satisfazer seus desejos. Ela acabou entrando em nossa equipe.

Lembre-se de que, se não descobrir a dor de uma pessoa e souber apenas sua profissão ou que é mãe e mulher, não se preocupe. Sempre se pode dizer: "Conheço muita gente como você que tem conseguido certo sucesso fazendo o que faço e achei que gostaria de dar uma olhada e decidir se seria uma boa opção para você também." Como não tenho dúvida de que na sua empresa há pessoas iguais a ela, essa é uma declaração autêntica!

Entre em ação

Agora é sua vez. Pegue uma folha de papel e trace uma linha no meio para formar duas colunas. No alto da coluna da esquerda, escreva "DOR"; no da direita, "SEM DOR". Então pense na próxima pessoa com quem quer entrar em contato. Liste todos os possíveis

> pontos de dor na vida dela e como nosso negócio pode lhe oferecer alívio. A partir daí, você será capaz de elaborar os pontos iniciais da conversa. Faça esse exercício toda vez que for entrar em contato com alguém e estará começando apontando as vantagens para ela.

Regra nº 13: Se o negócio receber um "não", peça indicações.
Se alguém não se interessar em entrar para o negócio, passe logo para um pedido de contatos. Basta dizer: "Entendo perfeitamente que não seja uma opção para você, Maggie. Não é para todo mundo. Mas eu adoraria que pensasse nas pessoas de sua rede, porque acho que você conhece algumas que eu poderia ajudar. Você tem mais alguns minutos para que eu possa descrever exatamente o que procuro e você me dizer quais nomes vêm à sua cabeça?"

Observe duas coisas: 1) pedi permissão para continuar, o que, além de bem-educado, também mantém a interatividade da conversa; 2) plantei a semente de que alguns nomes vão aparecer na cabeça dela.

Ao pedir indicações, tive muito mais sucesso quando fui específica sobre quem estava procurando. Antes eu era bastante vaga em meu pedido de contatos e perguntava apenas quem a pessoa conhecia que tivesse uma ótima personalidade, que fosse gente que faz ou um verdadeiro dínamo. Raramente me davam algum nome.

> Ao pedir indicações, tive muito mais sucesso quando fui específica sobre quem estava procurando.

Mas só comecei a receber contatos quando passei a ser bem específica. Eu me concentrei em alguns aspectos demográficos para tornar mais fácil a lembrança de alguém que se encaixasse na descrição.

Portanto, agora o que sempre digo é: "Eis o que estou procurando", e então o primeiro aspecto demográfico que descrevo é sempre alguém exatamente como a pessoa com quem estou conversando. Isso porque quero que ela escute novamente que alguém como ela pode se sair bem neste negócio.

Quando falo com uma professora, digo: "Gosto muito de trabalhar com professoras porque são boas de treinar e de ensinar. As professoras adoram ganhar mais dinheiro porque costumam ganhar pouco e adoram ter a opção, mais adiante, de passar mais tempo com os próprios filhos do que com os filhos dos outros. Além disso, este negócio é uma ótima proteção contra demissões."

Então cito os outros aspectos demográficos que sempre estou buscando. "Também adoro trabalhar com donas de casa que querem ter flexibilidade para ficar com os filhos, mas precisam de outra fonte de renda. É possível montar um negócio lucrativo e, ao mesmo tempo, ser uma mãe presente."

Também descrevo a mãe que trabalha fora e está presa à roda-viva do emprego. Então, por causa do sucesso que eu e John alcançamos e do sucesso de muitas outras em nossa equipe, acrescento um pedido de casais que sejam empreendedores, bem-sucedidos e talvez queiram incluir mais um negócio inteligente a seu portfólio profissional.

"Trabalho com alguns casais que, juntos, cada um trabalhando apenas em meio período, conseguem obter uma renda que financia integralmente a faculdade dos filhos ou a aposentadoria deles e acaba abrindo para eles um tesouro de possibilidades."

Se alguém não consegue me indicar contatos específicos ali ao telefone, simplesmente digo: "Talvez seja difícil pensar em alguém agora. Gostaria que eu lhe mandasse um e-mail curto resumindo o que conversamos e explicando exatamente quem procuro? Você poderia encaminhá-lo às pessoas em que pensar, com cópia para mim. Que tal?"

Já me indicaram montes de contatos dessa maneira. No e-mail, além de resumir rapidamente o que é nosso negócio, também incluo uma lista dos aspectos demográficos que estou procurando. E adivinhe quem descrevo no primeiríssimo item? A pessoa a quem estou escrevendo, é claro, para que ela se lembre de que mulheres como ela estão montando este negócio – para incentivá-la a pensar nisto para si.

Quando as pessoas lhe repassarem seus contatos, não se esqueça de fazer algumas perguntas sobre quem estão indicando para que você possa identificar seus pontos de dor e preparar um início cativante para suas conversas.

Regra nº 14: Não termine a conversa sem falar sobre a oportunidade de se tornar cliente.

Faça o que fizer, não deixe a pessoa ir embora sem ouvi-la falar sobre os produtos. Você desenvolverá sua própria transição para a discussão de produtos ou serviços. Se estiver oferecendo produtos nutricionais, talvez a pergunta de transição seja: "Se pudesse ter mais energia para fazer o que quer, isso mudaria sua vida?" Como trabalho com produtos para a pele, sempre faço a transição perguntando: "Antes de terminarmos, queria lhe perguntar: se você pudesse mudar uma coisa em sua pele, o que seria?"

> Faça o que fizer, não deixe a pessoa ir embora sem ouvi-la falar sobre os produtos.

Até agora, apenas uma pessoa me disse: "Nada. Estou absolutamente apaixonada pelo meu rosto." Acontece que ela fez todas as cirurgias plásticas e procedimentos ambulatoriais conhecidos pela espécie humana. Acho que o rosto daquela mulher nem se mexe. Mas todo o resto do mundo se queixa de alguma coisa. E quer saber? Eu tenho a solução para a reclamação delas. Portanto, encontre a pergunta de transição que funciona com você e seus produtos e utilize-a todas as vezes.

Se não conseguir fechar a venda durante a conversa, lembre-se da Regra nº 8 e marque a próxima conversa dentro de 24 a 48 horas para responder a perguntas e anotar pedidos. Nunca, repito, nunca deixe a pessoa fazer a compra por conta própria. Invariavelmente, ela vai se esquecer, fazer tudo errado ou recusar o programa de envio automático, caso esteja disponível em sua empresa. Em vez disso, acompanhe-a durante o processo de compra. Além de ser um ótimo serviço ao consumidor, também garante que você realmente vai ganhar a cliente do jeito certo.

Lave. Enxágue. Repita.

Essas são as conversas iniciais que você terá com as pessoas. Montes e montes de pessoas. Você ficará muito boa nisso conforme o número de conversas for aumentando. Vai se sentir mais à vontade e será mais autêntica. Vai se tornar uma ouvinte melhor e aprenderá a defender de forma cativante a vantagem para o outro. Não será a chata das vendas. E vai se divertir. Juro.

Mas ter milhares de conversas introdutórias não basta para você obter uma renda milionária. Você terá que conduzir quem estiver curiosa e quiser saber mais pelo processo de tomada de decisão. Quer saber como? Vou guiá-la até o próximo passo. Você pode virar a página agora ou amanhã às 10h30. O que é melhor para você?

Capítulo 6

ELA ESTÁ INTERESSADA... E AGORA?

Primeiro, quero que saiba que passei a não gostar do tradicional termo de vendas "fechamento". Acho que promove o comportamento do caçador. Em vez disso, gosto de pensar no estágio seguinte da conversa como um processo de tomada de decisão. E o seu papel nesse processo é ajudar a candidata a determinar se seu negócio ou seus produtos são uma boa opção para ela neste momento. Isso envolve fazer a pessoa passar por seu funil com o máximo de rapidez e eficiência possível para descobrir como ela se encaixa em seu negócio agora – como integrante da equipe, cliente, geradora de contatos ou "agora não". Porque, como você aprenderá, se já não aprendeu, não existe nada pior do que um funil com prisão de ventre!

Durante o processo, concentre-se nas regras do capítulo anterior, porque todas elas ainda se aplicam. Acima de tudo, seu serviço enquanto leva a candidata até a decisão é guiá-la pelo processo exploratório e ajudá-la a descobrir se você tem algo útil para ela. Tudo o que você disser e fizer deve ser motivado pela intenção de ajudar a pessoa a chegar à decisão certa para ela. Lembre-se: você não está apegada ao resultado de nenhuma conversa. Se mantiver o processo simples assim, terá mais confiança e propósito – e será muito mais eficiente.

> Tudo o que você disser e fizer
> deve ser motivado pela intenção
> de ajudar a pessoa a chegar
> à decisão certa para ela.

No livro *Blink: a decisão num piscar de olhos*, Malcolm Gladwell fala de dois tipos de tomadores de decisão: o "pistoleiro" e o tipo metódico e analítico que precisa ver as coisas de todos os ângulos.

O segredo da prática eficaz e eficiente de fechamento é manter o controle do processo, seja qual for o tipo de tomador de decisão.

De acordo com Gladwell, os grandes tomadores de decisão não são os que processam mais informações ou passam mais tempo deliberando, mas os que aperfeiçoaram a arte de "fatiar fino" para filtrar os poucos fatores que importam dentro de um número esmagador de variáveis.

As ferramentas de fechamento usadas pelas consultoras bem-sucedidas são projetadas para ajudar o tomador de decisão, seja qual for seu tipo, nesse fatiamento. Queremos ajudar cada pessoa a filtrar os fatores importantes para a tomada de decisão, de modo que consiga chegar a uma solução mais rápida que seja certa para ela.

Na minha experiência, os pistoleiros são mais raros. É interessante notar que, em toda a nossa imensa organização, quase todos os consultores bem-sucedidos são pistoleiros em relação à decisão de começar o negócio. Mesmo que tenham dito "não" primeiro, o fizeram bem depressa. E, quando deram outra olhada, disseram "sim" depressa.

É claro que não estou sugerindo que você descarte qualquer

um que não tome decisões rápidas. Mas seu processo deve ser projetado para acrescentar os pistoleiros à equipe o mais depressa possível, mostrar a eles como fazer o mesmo com outros pistoleiros e ajudar o restante das pessoas a chegar a uma decisão que lhes sirva sem retardar *você* durante o processo.

Quando estiver conversando com uma candidata, depois de começar apontando a vantagem para ela, dar uma visão geral da empresa e dos produtos ou serviços e lhe contar sua história pessoal curta, um modo simples de fazer a conversa avançar é: "Então, está curiosa e com vontade de saber mais?" Ou: "Gostaria de saber mais para ver se esta opção seria boa para você?"

Se a resposta for afirmativa, diga a ela que vai lhe mandar algumas coisas para examinar e/ou escutar. Quais serão essas coisas vai depender do que sua empresa e os líderes de sua *upline* lhe oferecem para usar no processo de fechamento. Podem ser vídeos, ligações gravadas, conteúdo num site, blogs e muito mais. Mas lembre-se da Regra nº 3: menos é mais. Não inunde sua candidata de conteúdo em excesso. Treino nossa equipe para mandar um vídeo curto e cativante de nossos fundadores, um telefonema curto de informações que gravei e uma ou duas publicações do blog de nossa empresa que poderiam funcionar para a candidata.

Então é essencial marcar a próxima conversa. Se houver algum evento nas próximas 24 a 48 horas, convide-a.

"Depois de rever tudo, sei que você terá algumas perguntas. Vai haver uma reunião amanhã à noite. Seria a oportunidade perfeita para você obter resposta às suas perguntas, ter uma ideia de como este trabalho é colaborativo e descobrir se gostaria de fazer parte dele. Eu adoraria colocá-la na lista de convidados."

É importante entender por que estou estabelecendo um limite de apenas 24 a 48 horas até o próximo evento. Se o evento for mais distante, por que esperar tanto para empurrar a candidata pelo seu funil?

Em vez disso, você pode fazer uma ligação triangular e usar o evento futuro como isca de fechamento durante essa conversa. "Se for uma boa opção, você deveria aproveitar nosso evento na semana que vem para começar a cultivar sua equipe e a base de clientes." Lembre-se de que queremos fazer as candidatas passarem pelo processo o mais depressa possível. Quanto mais tempo houver entre os contatos, maior é a probabilidade de que fiquem com medo ou conversem com alguém que tenha uma opinião não muito boa sobre nossa profissão.

> Queremos fazer as candidatas passarem pelo processo o mais depressa possível.

Se não houver nenhum evento próximo ou se sua candidata não puder comparecer, marque o telefonema triangular. "Depois de examinar tudo, sei que você terá algumas perguntas. Vamos marcar uma hora para conversar e responder a todas elas. Vou convidar também minha amiga e parceira de negócios. Ela lhe dará outro ponto de vista e, juntas, nós a ajudaremos a descobrir se esta é uma boa opção para você."

É útil ter horários pré-marcados em que sua *upline* estará disponível ou acessar alguma agenda on-line de horários disponíveis da *upline*. Se você não tiver acesso a nada disso, veja três horários em que a candidata estará disponível nas próximas (adivinhe!) 24 a 48 horas e depois fale com sua *upline* para confirmar qual é o melhor horário.

Se ficar nervosa ou com medo de oferecer uma ligação triangular, não se preocupe. Essa é uma das ferramentas de fechamento mais importantes que temos em nosso kit. Neste capítulo, examinaremos meticulosamente como realizar os telefonemas triangulares.

Apenas lembre-se de apresentar a ligação como um recurso para ajudar sua candidata, porque é exatamente esse o propósito.

Durante essa conversa, sua candidata pode começar a fazer perguntas. Responda àquelas que a deixarem à vontade. As respostas simples para objeções comuns apresentadas no próximo capítulo vão ajudá-la, mas de jeito nenhum pense que você deve ter uma conversa exaustiva nesse momento. Lembre-se: seu trabalho é guiá-las até o próximo passo, que é examinar ou ouvir mais informações e marcar uma ligação com uma parceira de negócios ou ir a um evento.

Eis o segredo: não pergunte, *diga* a sua candidata quais são os próximos passos. Ela não está no negócio. Não sabe como funciona nem conhece a maneira mais eficiente de examinar se é uma boa opção. Você é a especialista. Fale com confiança. Não pergunte à candidata se ela quer conversar com sua parceira de negócios. Diga-lhe que o próximo passo para ajudá-la a decidir é uma conversa telefônica com você e sua parceira de negócios, porque ela precisa conhecer o ponto de vista de outra integrante da equipe e você sabe que ela terá perguntas a fazer. Se você se lembrar dessa diferença, isso mudará a velocidade da decisão de sua candidata.

Eis o segredo: não pergunte,
diga a sua candidata quais
são os próximos passos.

Principalmente enquanto você for inexperiente, é útil ter uma "declaração-pivô", como costumo dizer, para interromper a torrente de perguntas, que às vezes acontece e parece interminável, e levar a candidata ao próximo passo. Diga apenas: "São ótimas perguntas e isso mostra que você quer mesmo mais informações.

Então vou lhe dizer o que faremos em seguida." Aí, comece o processo acima de marcar os próximos passos. Sopa no mel.

"Que tal um triângulo?"

Falamos sobre como apresentar a ligação triangular às suas candidatas. Agora vamos nos concentrar em como executar efetivamente essa que é a mãe das ferramentas de tomada de decisão. Acredite no triângulo. Anseie pelo triângulo. Domine o triângulo.

> Acredite no triângulo. Anseie pelo triângulo. Domine o triângulo.

Preciso ressaltar que, embora chamemos essas ligações de triangulares e tenhamos grande prazer com o duplo sentido sexual, não use essa expressão no mundo exterior. Em vez disso, diga "um bate-papo telefônico" ou "uma conversa". Primeiro, vamos mostrar por que você deve acreditar na ligação triangular.

- Oferece uma legitimação cativante de terceiros.
- Permite que sua *upline* lhe mostre como lidar com objeções e levar a candidata ao fechamento.
- Faz sua candidata passar pelo funil com eficiência.
- Mesmo que você consiga levar sozinha suas candidatas a uma decisão rápida, é provável que a maioria das integrantes de sua equipe não consiga.

Agora, a logística. Se um ou mais dias se passarem desde a última conversa, é bom confirmar na véspera o horário da ligação com sua candidata, por mensagem ou e-mail. Quando chegar a hora do telefonema, ligue primeiro para sua candidata e depois inclua sua *upline*. Para evitar aquelas falhas desagradáveis da tecnologia, se não estiver familiarizada com o recurso de audioconferência de seu celular, é bom treinar primeiro.

Para que a ligação triangular seja bem-sucedida, sua parceira de negócios precisa estar preparada com informações sobre sua candidata. Sempre que possível, na noite anterior ou, pelo menos, uma hora antes da ligação, envie a ela um pequeno e-mail ou mensagem, o que preferir. Isso ajudará sua *upline* a organizar as ideias e as histórias que considerar úteis. Não se esqueça de que, à medida que se tornarem mais experientes nas ligações triangulares, você e as integrantes de sua equipe serão capazes de fazer uma ligação fantástica sem conhecerem a candidata com antecedência. Esse exercício também ajuda a apresentar adequadamente a candidata à sua *upline*. As informações devem incluir:

- nome da candidata;
- onde ela mora: cidade, estado, país;
- como você a conheceu;
- qual é sua profissão (atual ou no passado);
- por que acha que ela seria boa neste negócio;
- o que a atrai para o negócio;
- se ela é motivada e trabalhadora;
- outros pontos fortes que ela tenha;
- quais preocupações ou objeções ela já manifestou.

Você e sua *upline* têm que chegar à ligação triangular com metas claras. Em cada ligação, você visa a fazer uma das seguintes coisas: 1) alistar uma nova parceira de negócios; 2) marcar um encontro para dar continuidade ao processo; 3) pedir contatos e colocá-los na lista de clientes.

O fluxo da ligação

Com essas metas em mente, vamos examinar o fluxo da ligação. Assim que todo mundo estiver na linha, apresente sua candidata à sua *upline*. Essa apresentação curta não deve demorar mais de um minuto e precisa conter:

- uma apresentação;
- como vocês se conheceram;
- por que você acha que ela seria ótima nisto;
- o que ela tem a ganhar.

Vamos fingir agora que sou sua patrocinadora *upline* e que você está trazendo a candidata para uma ligação triangular comigo. A apresentação deveria ser mais ou menos assim:

"Romi, quero lhe apresentar minha amiga Jane. (Então inclua como conheceu Jane e um elogio autêntico.) Jane e eu trabalhamos em um hospital de Chicago e ela é uma das pessoas mais sociáveis e carismáticas que conheço. Está aberta à ideia de ter uma renda extra, mas disse que não quer dar um passo maior do que as pernas. Por isso estou empolgadíssima para que ela saiba mais sobre nossa empresa e de que modo este trabalho se encaixaria na vida dela."

É aí que você acrescenta rapidamente informações específicas que reiterem por que quer trabalhar com sua candidata, demonstrando que realmente a escutou e deixando-a ouvir mais uma vez a vantagem disso para ela.

"Jane, estou empolgada porque você vai conversar com minha amiga Romi. Ela lhe explicará o ponto de vista dela e responderá às suas perguntas. Romi, agora é com você."

Quando terminar a apresentação, pare de falar. Eu assumo a partir daí e gerencio o telefonema, e você só fala se eu lhe pedir que participe ou se a candidata lhe perguntar alguma coisa diretamente. É importante para mim, como *upline*, estabelecer rapidamente o tom da conversa desde o início, tirando a pressão da candidata para que fique mais aberta a ouvir o que tenho a dizer.

> É importante para mim, como *upline*, estabelecer rapidamente o tom da conversa desde o início, tirando a pressão da candidata para que fique mais aberta a ouvir o que tenho a dizer.

"Eu me lembro de estar em seu lugar, Jane, e não sabia o que esperar de um telefonema desses. Mas quero que você saiba que meu trabalho não é convencer ninguém de que deveria começar um negócio próprio. Meu trabalho é simplesmente contar minha experiência e responder às perguntas que você tiver para ver se esta opção é boa para você. Que tal?"

Então conto minha história curta e tomo o cuidado de destacar os pontos em comum que sejam pertinentes e identificáveis para ela. Depois pergunto por que ela ficou curiosa com nosso negócio, o que extrai o PORQUÊ dela. A resposta me ajudará a ajustar minhas respostas às futuras perguntas e repeti-las quando lhe pedir que tome uma decisão.

Então descrevo de forma breve os fatos de nosso negócio (ênfase em *breve*). Uso especificamente a palavra "fatos" porque, nesse momento da conversa, não estou dando opiniões. Estou listando fatos indiscutíveis sobre a empresa, os produtos, o canal de negócios e o potencial de renda em pontos sucintos e cativantes.

Em seguida, devolvo a conversa à candidata: "Já lhe passei muitas informações, Jane. Quais são suas perguntas?" Quase sempre, essa é a parte mais demorada da ligação, na qual respondo às perguntas de Jane sobre o que fazemos, como fazemos e como ela poderia fazer também. É nesse momento que refuto suas objeções.

Depois que todas as perguntas foram respondidas e as objeções, refutadas, chega a hora de avaliar a disposição da candidata de tomar uma decisão.

"Tudo bem, Jane, me diga, numa escala de 1 a 10, em que 1 é estar com vontade de desligar e sair correndo e 10 significa que gostaria de começar agora, onde você está?"

Se ela disser de 1 a 4, respondo: "Parece que este negócio não é uma boa opção para você" e passo imediatamente para uma conversa sobre se tornar cliente e obter contatos.

Se ela disser 6 ou 7, continuarei com a conversa sobre o negócio. "Parece que você ainda tem algumas dúvidas. O que posso ajudar a esclarecer?" Isso nos levará à(s) objeção(ões) principal(is).

Se ela disser 8 ou 9, sei que provavelmente a ajudarei a decidir entrar no negócio nesse telefonema. Então mostro a Jane qual é o próximo passo. Se ela estiver disposta a se inscrever, descrevo a forma simples como começamos e pergunto se ela tem mais alguns minutos. Se ela não tiver tempo no momento, peço a você e Jane que marquem um horário imediatamente, mais tarde ou no dia seguinte, para a conversa de inscrição.

Como todas já vivenciamos, a inscrição imediata nem sempre acontece (isso seria *bem legal*), mesmo que a candidata diga 9 ou 10. É bem comum que ela tenha que discutir tudo com o marido, conferir sua situação financeira, terminar projetos complicados no emprego, etc. Portanto, é bom estar preparada para responder com os próximos passos que a manterão avançando pelo funil e ajudarão você e a integrante de sua equipe a manter o cronograma sob controle.

Se a candidata tiver que conversar com o marido, valide isso. "É claro que você deve discutir isso com seu marido. Avise se ele tiver alguma pergunta. Converso com maridos o tempo todo. Você pode falar com ele hoje à noite?" Então marque uma conversa posterior, convidando o marido também, para dali a no máximo 48 horas. Minha experiência é que, se esperar mais do que isso, provavelmente você perderá a candidata. Se sua equipe tiver acesso a uma gravação de informações elaborada especificamente para os maridos – meu marido John fez uma gravação excelente para nossa equipe respondendo às perguntas específicas do cônjuge –, mencione isso à candidata e a envie logo depois do telefonema.

Se ela não se interessar pelo negócio, passe-a para a lista de clientes. "Entendo perfeitamente que este negócio não seja para você. Não é para todo mundo. Mas estes produtos (ou serviços) são para todos. Eu ficaria honrada em ter você como minha cliente."

Lembre-se de pedir indicações. Agora você já sabe como é: "*Talvez você conheça alguém a quem eu possa ajudar.* Eis quem estou procurando (inclua descrições detalhadas e sempre descreva primeiro a pessoa com quem você está falando)."

Lembre-se de que não importa se é você quem leva a ligação à sua *upline* ou se é a *upline* que inicia a chamada; seja confiante e saiba que está oferecendo um fórum útil e eficiente para a candidata decidir se quer se juntar a você no negócio, aproveitar seus produtos ou serviços ou lhe indicar pessoas de sua rede.

Há três razões para as ligações triangulares darem errado

1. A ligação demora muito.
Em geral, as ligações duram 15 a 25 minutos no máximo. E isso tem várias razões.

- Você não quer cansar a candidata.
- Não é factível, para pessoas ocupadas que trabalham, ter ligações de 30 a 45 minutos durante o dia.
- Não é possível, para líderes ocupados, fazer tantas ligações como essas por semana se forem todas maratonas de conversa fiada.
- Em termos gerais, tudo o que precisa ser dito pode ser dito nesse tempo. Se passar de 15 a 20 minutos, significa que você está sendo redundante e não está se concentrando no que deveria fazer – ou seja, responder às objeções e guiar a candidata a uma decisão.

> Se passar de 15 a 20 minutos, significa que você está sendo redundante e não está se concentrando no que deveria fazer.

Agora, é claro que há exceções à regra da brevidade. Por exemplo, se você tiver ligado para uma faladeira que simplesmente não se cala, faça com que se sinta "ouvida", mas guie a conversa, o mais depressa possível, para as partes importantes. Você também dará telefonemas a candidatas que têm um zilhão de perguntas, porque estão tentando examinar e entender cada aspecto do negócio. Escute e responda a todas as perguntas, mas, se ficar sem tempo, não hesite em marcar outro telefonema mais tarde ou no dia seguinte e peça à sua parceira de negócios que lhe envie informações pertinentes que abordem algumas perguntas em aberto. Apenas tome cuidado para não entrar no modo de convencimento. Caso perceba que está tentando convencer, a ligação já demorou demais.

Sempre aviso às minhas parceiras de negócios – seja antes do telefonema ou antes de trazer a candidata – quanto tempo tenho e peço que fiquem de olho no relógio. Cabe a elas controlar o tempo e ajudar você a encerrar a ligação. Treino as integrantes de minha equipe para simplesmente dizer, numa pausa da conversa: "Sei que você tem que ir, Romi, então por que não responde a mais uma pergunta? Depois marcamos outra hora para continuar a conversa."

2. Sua parceira de negócios não iniciou a chamada corretamente.
É imperativo que você ensine à equipe como iniciar a ligação depois que todas as partes estiverem conectadas. As apresentações são a chave para começar o telefonema com um clima informal e tranquilo. É muito constrangedor para as três pessoas quando a consultora que trouxe a candidata não começa com as apresentações e deixa que se forme um silêncio desconfortável.

3. Sua *upline* não apurou os fatos no começo.
Se não reservar um tempo para fazer perguntas à candidata sobre a vida dela e sobre a razão por que está interessada no negócio, você perderá informações valiosas que ajudariam a mostrar por que seu negócio faz sentido para ela. Deixe que ela lhe fale da própria vida e de seus pontos de dor para que, mais tarde, você possa demonstrar que pessoas iguais a ela têm sucesso no negócio. Como as pessoas adoram falar de si, isso ajuda a construir o relacionamento entre você e a candidata.

Todo mundo que me pôs numa ligação triangular me ouviu fazer a seguinte pergunta: "Então, Candidata, minha amiga fez uma ótima apresentação sua, mas eu gostaria de saber um pouco mais sobre você, sua vida e o que em nosso negócio lhe chama mais atenção." Em geral, isso me oferece o suficiente para saber o que mais devo destacar no restante do telefonema.

Guie a candidata para a decisão

Quer você esteja guiando alguém para a decisão numa ligação triangular para sua *downline*, quer esteja em uma conversa frente a frente com alguém num café ou depois que a candidata compareceu a um evento, há um modo útil e eficiente para fazer a transição da conversa naturalmente. Depois de responder a todas as objeções dela, repasse o que a candidata disse que procurava. Isso fecha o círculo de volta às vantagens para ela.

> Depois de responder a todas as objeções dela, repasse o que a candidata disse que procurava.

É por isso que escutar durante toda a conversa é importante. Pode soar mais ou menos assim: "Jane, acho que esta pode ser uma ótima opção para você. Você quer reduzir o serviço de consultoria para passar mais tempo com seus filhos e se proteger das quedas do mercado. Como parece que você conseguiria encaixar este negócio em meio a tudo o que já faz, que gosta de pessoas e que curte a ideia de ajudar os outros a terem sucesso, isto daria muito certo para você. Concorda?"

Então você diria: "O próximo passo é explicar como começar. Que tal?"

Em certas ocasiões, você ligou todos os pontos e repassou as vantagens para a candidata, mas ainda há hesitação. Existem algumas flechas úteis que é bom ter na aljava para levá-la a tomar a decisão. Você pode usar uma destas ou todas elas.

• Pergunte onde ela está na escala. Como a ensinei a fazer na

ligação triangular, isso ajudará a ver a que distância ela está do "sim" e chegar à raiz da hesitação.
- Pergunte a ela o motivo da hesitação. Como provavelmente você já respondeu a todas as objeções típicas que examinaremos em detalhes no próximo capítulo, a causa pode ser o modelo de negócio ou falta de autoconfiança. Não tenha medo de perguntar e chegar à real questão. Porque, lembre-se, você não pode explicar o que está oculto.

Se a causa for o modelo de negócio, faça mais perguntas. "É porque você não entendeu plenamente como funciona ou porque tem medo do que os outros vão pensar?" Mais uma vez, isso ajudará você a chegar à raiz da hesitação.

Seja franca com ela: "Alguns podem achar que você é maluca por fazer isto. Mas o mais importante a saber é: por que você se importa? É você quem tenta equilibrar um emprego cansativo e a família e ainda sente que não tem dinheiro suficiente para avançar. Haverá pessoas que não apoiam seu negócio, mas sua decisão não diz respeito a elas. Diz respeito a você e ao que você quer."

A melhor maneira de lidar com a falta de autoconfiança é com uma explicação sobre o apoio que a candidata receberá e com histórias de sucesso de pessoas iguais a ela. Sou muito franca com as candidatas que duvidam de si mesmas. "Em última análise, você precisa acreditar que merece mais. Não posso lhe dar isso. Tem que partir de você. Você tem que acreditar que merece mais do que (seja qual for a dor dela)."

- Pergunte sobre o Plano B da candidata. Repita mais uma vez o PORQUÊ dela e então pergunte: se não for com este negócio, qual é seu Plano B para atingir seu PORQUÊ?
- Converse sobre o pior que pode acontecer. Isso funciona bem para ressaltar que há pouquíssimo a perder e, no mínimo,

algumas grandes coisas a ganhar. Em geral, acrescento algum toque dramático que reduza a enormidade da decisão e provoque alguns riscos. "Tudo bem, Jane. Vamos falar sobre o pior que pode acontecer. Você não terá que investir meio milhão para abrir uma franquia. A pior coisa que poderia acontecer é (liste os benefícios potenciais ou seus produtos ou serviços) a preço de atacado e você recuperar o investimento se trabalhar só um pouquinho. E também pode se divertir."

Não há dúvida de que você consegue dominar a habilidade de levar as pessoas a tomarem uma decisão. Quanto mais vezes fizer isso, mais fácil e intuitivo vai ficar. Não se sabote colocando na sua cabeça a ideia de que conversas profissionais, eficientes e úteis que demandam uma tomada de decisão de suas candidatas sejam forçar a barra. Profissional, eficiente e útil: é exatamente isso que você e suas candidatas merecem. Você recebeu uma dádiva para compartilhar e procura pessoas que queiram o que você tem a oferecer. Quando encontra, é fantástico. Essa é a razão para eu ainda acordar todos os dias querendo fazer contatos e encontrar nossas próximas parceiras de negócios.

Você recebeu uma dádiva para compartilhar e procura pessoas que queiram o que você tem a oferecer.

Capítulo 7

DISCORDO!

As pessoas farão objeções por acharem que o negócio não é para elas. Não tema as objeções, acolha cada uma delas! Elas são úteis para fazer a conversa sobre seu negócio avançar... mas apenas quando você as trata como pedidos de mais informações. Eu ADORO objeções por quatro razões:

1. Estimulam uma conversa real sobre a candidata, o negócio e o fato de os dois combinarem ou não.
2. Mostram que a candidata está envolvida na conversa a ponto de fazer perguntas. Podemos aproveitar isso!
3. Dão início ao processo de treinamento. Se uma candidata relutante se junta à sua equipe, você já lhe mostrou que as objeções não são um impedimento para acrescentar alguém à equipe e apenas fazem parte do processo. Além disso, você já começou a ensinar à nova parceira como responder às objeções.
4. Ajudam a demonstrar como este negócio é divertidíssimo. As conversas mais autênticas e esclarecedoras vêm quando aproveitamos as objeções das candidatas. Não podemos explicar o que está oculto.

As coisas mais importantes a lembrar para lidar com objeções são: não entre na defensiva nem no modo de convencimento! Estamos selecionando pessoas, não convencendo-as. Se seu foco permanecer em servir à candidata e ajudá-la a entender nosso modelo de negócio, a proposta da empresa e as vantagens que terá, a conversa será tranquila, autêntica, eficiente e útil.

Eis a boa notícia: há apenas um punhado de objeções que todas recebemos e, uma vez que se sinta à vontade para lidar com elas, você terá confiança para ajudar as candidatas recrutadas por você e aquelas que forem trazidas em ligações triangulares a tomar decisões bem embasadas sobre iniciar um negócio próprio. É claro que você pode receber objeções específicas sobre seu produto ou serviço, mas suponho que, com sua empresa e sua *upline*, você estará em boas mãos para aprender a lidar com elas.

Quando alguém faz uma objeção, adoro usar a abordagem que aprendi com um veterano do ramo e um dos comunicadores mais autênticos que já conheci, Richard Bliss Brooke: responda com uma pergunta. Uma pergunta esclarecedora é muito útil, porque é comum as pessoas não entenderem direito a que estão fazendo objeção ou partirem de suposições incorretas. A resposta à sua pergunta esclarecedora lhe dá mais informações sobre o que sua candidata realmente está pensando. Você verá adiante como isso funciona.

> É comum as pessoas não entenderem direito a que estão fazendo objeção ou partirem de suposições incorretas.

Desejamos que nossa candidata se sinta ouvida e não queremos desdenhar de seus sentimentos, mas nosso trabalho é explicar por que seus temores não deveriam impedi-la de iniciar um negócio próprio. Até se sentir à vontade respondendo a objeções, um formato eficaz para suas respostas (depois de ter feito a pergunta esclarecedora) é usar a estratégia "sente-senti-descobri":

"Entendo como você se **sente** sobre _____. Já me **senti** assim, mas eis o que **descobri**..."

Com o tempo, você se tornará ainda mais autêntica e natural em suas respostas e talvez abandone o "sente-senti-descobri", que pode soar como lugar-comum.

Passemos, portanto, às objeções mais comuns e como suas respostas podem acabar com elas. Cada objeção é seguida de uma proposta de Pergunta Esclarecedora e, em seguida, de uma sugestão de um argumento a ser usado quando sua candidata responder à pergunta.

Acho que não tenho tempo suficiente

Pergunta Esclarecedora: "De quanto tempo você acha que precisa para começar a construir seu próprio negócio?"

"Na verdade, procuro pessoas ocupadas, porque descobri que pessoas ocupadas são gente que faz. Preciso admitir que não tinha certeza de como encaixaria isso em minha vida, mas a maioria de nós trabalha nas horas livres, em meio a tudo o que temos que resolver. É preciso um esforço constante para fazer um pouquinho por dia, encaixando este trabalho na vida e nas conversas cotidianas. E vamos ser francas: sempre encontramos tempo para o que é prioritário, seja montar um negócio, seja assistir a uma maratona de *Game of Thrones*."

Vá um pouco mais fundo para descobrir o que sua candidata gostaria de fazer. "Então você está me dizendo que quer montar uma estratégia para largar o emprego (ou seja lá qual for o

PORQUÊ dela). Com 10 a 15 horas por semana – 10 minutos aqui, 20 ali, 30 acolá –, você pode investir nessas metas. Portanto, o que me interessa saber não é se você acha que tem tempo para isso, mas se quer dedicar tempo a isso. Está disposta a investir esse tempo para (repita o PORQUÊ)?

Não tenho dinheiro

Pergunta Esclarecedora: "Se o dinheiro não fosse um problema, você embarcaria nesta para montar um negócio que pode ajudá-la a (repita seu PORQUÊ)?"

"Se você não tem dinheiro para investir em um negócio próprio capaz de lhe gerar uma fonte de renda adicional, isso só mostra que está mesmo precisando disso. Você tem a quantia necessária no limite do cartão de crédito? Se tiver, nós lhe ensinamos a obter o retorno do investimento com a venda de produtos e o aumento de sua equipe (e quaisquer outros incentivos que a empresa ofereça). Vou manter você bem concentrada na atividade produtora de renda que lhe trará o retorno do investimento."

Se ela disser que precisa de tempo para juntar o dinheiro, marco uma data para a inscrição, de modo que tenha um prazo com o qual trabalhar. Também passo o dever de casa de consolidar seu PORQUÊ e escrever a lista inicial de seu Time dos Sonhos. Ao confirmar o encontro para a inscrição com alguns dias de antecedência, peço essas informações. O dever de casa dá à candidata um bom começo, mantém o futuro negócio em primeiro plano e me permite avaliar se ela está levando a coisa a sério. E mais: se, em último caso, ela não se inscrever, peço que me ponha em contato com a lista do Time dos Sonhos que ela já compilou. Ela não poderá dizer que não pensou em ninguém para me indicar.

Não quero incomodar as amigas

Pergunta Esclarecedora: "Por que acha que estaria incomodando as amigas?"

"Fico muito contente em ouvir isso, porque não é isso que fazemos. Nós trocamos informações sobre produtos (ou serviços) que adoramos e sobre uma empresa capaz de melhorar ou mudar vidas. Se você já começa achando que está incomodando alguém, não está sendo treinável e não está seguindo nosso sistema simples. Vamos lhe ensinar a conversar de maneira informal e amistosa com pessoas que conhece e com pessoas que lhe sejam indicadas. Mas, sabe, nem todo mundo vai querer seus produtos ou participar de seu negócio. E está tudo bem."

Não conheço gente suficiente

Pergunta Esclarecedora: "Quantas pessoas você acha que precisa conhecer?"

"Todas conhecemos muita gente. Vamos ajudá-la a ativar sua memória para se lembrar de todas as pessoas que já conheceu na vida. Uma das muitas coisas que adoro neste negócio é que não envolve necessariamente quem você conhece, mas os contatos de quem você conhece. Além disso, este negócio é um ótimo jeito de conhecer novas pessoas. Vamos lhe ensinar como fazer isso. Lembre-se: não prejulgue o que os outros estão procurando. A gente nunca sabe quem está procurando exatamente o que temos a oferecer. Acho provável que você já conheça gente suficiente para começar a montar um negócio. O que me interessa é até que ponto você gosta de estar rodeada de pessoas. Porque este negócio todo se baseia nisso. Se você não gosta de conversar com muita, muita gente, então não vai se divertir e não vai trabalhar. Portanto, vamos falar de até que ponto você ama gente."

Não sou vendedora

Pergunta Esclarecedora: "Por que você acha que precisa de experiência em vendas?"

"Não estou procurando vendedoras. Estou procurando pessoas apaixonadas que adorem falar sobre as coisas que amam. Também estou buscando gente que gosta de ajudar os outros. Você é assim? Se for, podemos lhe ensinar a fazer o que fazemos. E vamos ser francas: mesmo quem nunca esteve em vendas tradicionais sempre vende. Vendemos ideias. Ora, vendo ideias aos meus filhos todos os dias para que façam o que quero que eles façam."

Não é o momento certo para eu começar um negócio

Pergunta Esclarecedora: "O que transformaria este momento no momento certo?"

"A hora de começar um negócio, como a hora de ter filhos, nunca será perfeita. Perfeição não existe. Mas parece que você quer (repita o PORQUÊ dela). Vamos falar sobre como encaixar isso no meio de tudo o que faz e ajudar você a (repita mais uma vez o PORQUÊ dela)."

Se ainda assim ela disser "agora, não", passe para a discussão dos contatos e a possibilidade de ela se tornar cliente. Se nem assim a pessoa quiser, pergunte se pode entrar em contato com ela numa data mais adiante.

Isso é uma pirâmide?

Pergunta Esclarecedora: "O que você quer dizer com pirâmide?"

Se a resposta citar o "golpe da pirâmide", continue: *"O golpe da pirâmide é ilegal.* Nas pirâmides, não há venda de produtos (nem de serviços). Não, não é isso." Quando acho que dá para brincar, acrescendo, com um risinho: "É uma pirâmide que você está procurando?"

Se a resposta dela fizer referência a "uma daquelas coisas em que a gente monta uma equipe e a equipe ganha dinheiro para a gente", continue: *"Se você está perguntando se é o modelo de marketing multinível, sim, é isso mesmo. Eu não estaria aqui se não fosse.* Construímos uma organização de clientes e integrantes da equipe e ensinamos os outros a fazerem o mesmo que fazemos. Em vez de ser remunerada apenas pelo meu esforço, ganho com base no sucesso de toda a minha equipe. Ao contrário da maioria dos empregos, em que não temos esperança de ganhar mais do que o chefe, não é raro que alguém ganhe bem mais do que a pessoa que a convidou para o negócio. Que outras perguntas você tem?"

Depois de responder a todas as perguntas e objeções, diga: *"Tem mais alguma pergunta ou está pronta para começar?"* Se a candidata não fizer mais nenhuma pergunta, mas se recusar a começar, pergunte, simplesmente: *"Estou sentindo uma hesitação. O que há por trás dela?"* Em sua resposta autêntica estará a objeção que ela não revelou.

Eis o que aprendi sobre objeções ao longo de todos esses anos: as perguntas são sempre sobre aquilo com que não estamos seguras. Você está totalmente segura de que este modelo de negócio seja brilhante? Vão lhe fazer perguntas sobre pirâmides. Será que você tem confiança suficiente para falar de seu negócio e seus produtos de forma cativante ou acha que lhe falta experiência em vendas? Suas candidatas vão lhe dizer que acham que não têm a experiência certa.

> As perguntas são sempre sobre aquilo com que não estamos seguras.

Portanto, assegure-se de ter respondido de forma satisfatória às *suas próprias* objeções para que possa ter uma postura confiante e poderosa ao enfrentar as objeções que chegarem até você.

Capítulo 8

ELA NÃO ESTÁ MUITO NA SUA... OU ESTÁ?

Vamos falar de um problema epidêmico de nosso negócio que provavelmente também a aflige. Há pessoas presas em seu funil, e, por mais que você tente, não consegue fazê-las passar. Quero ajudá-la a enfrentar esse problema para enfim resolver essa questão sem desespero. Afinal, como eu já disse, não há nada pior do que um funil com prisão de ventre.

Quando há pessoas presas em seu funil, isso bagunça tudo para você e seu negócio. Esse problema causa distração, frustração e provoca esgotamento emocional e energético. Exatamente como uma prisão de ventre. E, como já discutimos, isso pode criar a ilusão de que há pessoas prestes a entrar em sua equipe, o que a impede de continuar fazendo contato com mais gente no volume que nosso negócio exige. Portanto, todas temos que nos tornar muito boas em empurrar pessoas pelo funil.

Vamos começar com algumas pepitas de ouro. Primeiro, se estiver de fato fazendo contato com pessoas suficientes para manter seu funil cheio, você não terá nenhum apego ao resultado. Lembre-se do que ensino: pelo menos três a cinco pessoas por dia.

Em segundo lugar, perca o medo de perder o que não tem. Com muita frequência, vejo consultoras que preferem ter uma candidata que se demora interminavelmente no funil a fazer perguntas simples e contundentes para chegar ao motivo de ela não tomar uma decisão. Elas temem que a candidata se afaste da oportunidade se for empurrada para ser franca, aberta e decisiva.

Perca o medo de perder
o que não tem.

É preciso ter muita clareza sobre uma coisa: se alguém está ali indecisa sobre qual papel quer ter em seu negócio, se é que quer ter algum, você não tem nada a perder. Mas, se ajudá-la a chegar a uma decisão, você preserva sua própria sanidade mental.

Em terceiro lugar, aprenda a Retirada e não tenha medo de usá-la. Trata-se de simplesmente retirar a oferta do negócio. Isso é feito de maneira muito informal e nada emocional. Há muitas maneiras de comunicar isso, dependendo dos detalhes da conversa, mas pode ser simples assim: "Acho que esta não é a opção certa para você. Não é para todo mundo." Continue com um pedido de contatos e uma discussão sobre seus produtos ou serviços.

Se você não está começando e continuando as conversas do jeito que mostrei nos capítulos anteriores, não admira que as pessoas fiquem penduradas em seu funil. Elas não sabem o que fazer em seguida. Ninguém está pedindo a elas que tomem uma decisão. Portanto, eu imploro que você coloque tudo isso em prática, inclusive as ligações triangulares. Este sistema funciona mesmo.

Agora quero me concentrar em todas aquelas outras situações em que as candidatas ficam empacadas, apesar de seguirmos todas as regras. Porque isso acontece com todas nós. A boa notícia é que, na maioria das vezes, você descobrirá que a candidata estacou simplesmente porque você não fez perguntas suficientes. Nosso trabalho é fazer perguntas suficientes e escutar de verdade as respostas para descobrirmos, e às vezes ajudá-la a descobrir, se ela quer mesmo fazer isto ou se simplesmente não está na sua. Vejamos como isso funciona.

> Na maioria das vezes você descobrirá que a candidata estacou simplesmente porque você não fez perguntas suficientes.

Você não consegue pôr alguém numa ligação triangular

Sua candidata Mary diz que está interessada, mas não se compromete a fazer uma ligação triangular e não se inscreve. Você posicionou perfeitamente a conversa telefônica para ilustrar as vantagens para ela, mas Mary responde: "Não, acho que não preciso fazer isso agora." Isso já lhe aconteceu? É claro que sim. Acontece com todas nós.

Em vez de só responder *Tudo bem*, você deveria fazer algumas perguntas.

"Então você acha que tem todas as informações de que precisa neste momento para decidir se esta é uma boa opção para você, Mary?" Se ela disser "Acho", então vamos levantar as mãos para o céu e gritar "Iupi", porque é fácil continuar com uma conversa de fechamento.

"Isso é incrível, Mary. Parece que você está pronta para começar a construir seu próprio negócio e pagar por todas as atividades das crianças, com mais alguma sobra, sem ter de pedir permissão ao marido quando quiser ter seus dias de *spa* (ou sejam quais forem as razões dela que você descobriu)."

Se for assim, você tem uma inscrita. Se ela disser "não", continue fazendo perguntas.

"Então de que outras informações você precisa para tomar uma decisão?" Se ela responder "Não sei", então você poderá dizer: "É por isso que acho que seria muito bom para você fazer uma ligação curta com minha amiga e parceira de negócios. É a melhor maneira de entender de que modo isto funcionaria para você e ver se quer participar. Se não for uma boa opção, tudo bem. Pelo menos você vai saber."

Se mesmo assim ela recusar, continue fazendo perguntas.

"Estou sentindo que você não se sente muito à vontade em falar ao telefone com uma das pessoas com quem trabalho. Estou certa? O problema é esse?"

A resposta provavelmente indicará que ela não quer se sentir pressionada ou algo assim. Seja franca e autêntica e lhe mostre que, na verdade, você não está apegada ao resultado.

"Olhe, a última coisa que quero é convencer você de alguma coisa. Se isto não a empolga, então não é uma boa opção para você. Mas, se está hesitando porque está nervosa e não sabe se conseguiria realmente construir seu negócio e encaixá-lo em sua vida, podemos examinar todas essas questões juntas. É natural ficar nervosa. Todas ficamos, porque está fora de nossa zona de conforto. Este telefonema é apenas uma oportunidade de examinar melhor se este é o meio que pode levá-la aonde você me disse que queria estar."

Se nem assim ela quiser avançar no processo com uma ligação triangular, quer saber? Ela não está na sua! Sejamos realistas. Se ela não está aberta a uma simples teleconferência para discutir uma proposta de negócio, adiantaria incluí-la no negócio? Com certeza, não. Portanto, não deixe pessoas como Mary penduradas em seu funil. Empurre-as e passe para a próxima. Porque é assim que você cultiva seu negócio.

"Sabe, Mary, na verdade estou sentindo que esta não é uma boa opção para você, pelo menos agora. Você já tem uma boa ideia de como é, então vamos falar de pessoas que você conhece que talvez queira começar um negócio próprio em meio período para tornar a vida um pouco mais fácil e divertida. Você me poria em contato com elas para eu ver se posso ajudá-las?"

Se ela disser "sim", então siga as estratégias do pedido de indicações que expliquei no capítulo 5. Se ela disser "não" – e, em todos esses anos, só tive cinco pessoas que se recusaram a me colocar em contato com outras –, ela claramente não é do tipo que gosta de ligar pessoas a coisas que possam ter valor para elas. Mais uma prova de que não iria bem em nosso negócio! Então, é claro, passe para a discussão de seus produtos ou serviços.

Você fez uma ligação triangular, mas ela não toma uma decisão

Digamos que você fez uma ligação triangular com sua candidata, conversou sobre todas as objeções que ela fez a você e à sua *upline*, e nem assim ela se compromete com uma inscrição. Mais uma vez, as perguntas são suas melhores amigas.

"Mary, sei que respondemos às suas perguntas na ligação que fizemos com minha parceira de negócios, mas ainda sinto que algo a impede de embarcar nesta. Vamos falar sobre isso."

Tente fazê-la dizer o que tem em mente. Talvez você precise conversar um pouco mais sobre as objeções ou pode ser que ela tenha pensado em mais algumas. Porém, por trás de todas as objeções e de toda a hesitação, eis o que descobri que em geral está na raiz disso tudo. Lá no fundo, ela não quer dedicar um tempo semanal nos próximos anos a um negócio próprio ou não acredita em si mesma o bastante para achar que realmente consegue. Então como arrancar isso dela com perguntas?

"Mary, nós já conversamos sobre os indicativos de sucesso neste negócio. Vamos dar mais uma olhada na lista?

- Este é um negócio centrado em pessoas, e claramente você adora pessoas e ama conversar com elas, então você se encaixa nesse indicativo.
- Este negócio exige pelo menos 10 horas por semana de atividade constante. Você ainda acha que quer dedicar 10 horas por semana a isto?
- Como conversamos, o negócio é simples, mas você precisa ser treinável e estar disposta a aprender o sistema. Você é treinável?"

Se Mary disser "sim" a todas as questões, continue a encaminhá-la para a inscrição. "Maravilha, então vamos começar."

No entanto, se ela ainda hesitar, faça outra pergunta (que pode ser a mãe de todas as outras) para chegar à verdadeira raiz do empacamento. "Então, se você sabe que está disposta a aprender a construir este negócio, que posso ensiná-la a fazer isso e também que um monte de gente como você está tendo sucesso, preciso lhe perguntar: Você acredita que tem o que é preciso?"

> Faça a mãe de todas as perguntas: "Você acredita que tem o que é preciso?"

Essa pergunta é tão valiosa porque ajudará você a chegar à raiz da hesitação; provavelmente você descobrirá que ela não acredita em si mesma. Depois de saber com o que está lidando, será possível conversar com ela a respeito.

"Mary, o que acha que as pessoas bem-sucedidas têm que você não tem?" Talvez você descubra que ela simplesmente não acredita em si mesma o bastante para sequer tentar ou que acha que não merece o sucesso. É, ouvimos algumas coisas bem pesadas. Mas lembre-se: não somos terapeutas e não podemos fazer ninguém acreditar em si mesmo. O que podemos assegurar é: "Eu ficaria honrada e empolgada em participar desse aprendizado sobre sua própria capacidade e em constatar que você também pode ter algo bem-sucedido, lucrativo e divertido que seja só seu. Isso a deixaria feliz?"

Se, no fim das contas, a resposta dela for "não", deixe-a ir com amor. Porque não podemos consertar o que está quebrado. Mas não a deixe partir sem acrescentar: "Acho que sei o que a deixaria feliz: ter a melhor pele de sua vida (ou mais saúde, ou o que você tiver a oferecer no quesito produtos ou serviços)", citando mais uma vez a vantagem para ela caso se torne sua cliente.

Eis um exemplo da minha vida real de trabalho. Uma mulher com quem eu estava conversando (vamos chamá-la de Sue) ficou três semanas indecisa. Eu pratico o que prego, então a conduzi pela lista dos indicativos de sucesso, e ela respondeu afirmativamente a todos os itens. "Bem, Sue, para mim isso indica um encaixe claro", comentei. "Então por que você não está avançando?"

Minha pergunta direta durante a conversa a fez finalmente contar sua verdadeira hesitação. Ela não tinha certeza de que queria trabalhar com tanta gente o tempo todo e achava que não queria "ser responsável pelo sucesso dos outros". Essa foi uma imensa bandeira de alerta. Todo o nosso negócio tem a ver com ajudar os outros a terem sucesso, e procuramos pessoas que vejam isso como um privilégio, não um fardo. Eu fui capaz de identificar que ela não se encaixaria bem e fiz a Retirada, mas ainda consegui torná-la cliente de nossos produtos e obtive duas referências, que ela descreveu como amigas que adoram ajudar os outros.

Tudo parece ótimo, mas ela simplesmente não consegue se decidir

Às vezes, por mais que a gente siga o sistema de conversas ou por mais que seja elegante no vaivém da discussão, sua candidata simplesmente não toma a droga da decisão. Ela não tem certeza.

É claro que essas pessoas não são "pistoleiros"; elas são "antipistoleiros". Descobri que a melhor maneira de levá-las a se decidir é lhes dar de mão beijada o processo de tomada de decisão. Faço isso passando um dever de casa simples.

> Descobri que a melhor maneira de levá-las a se decidir é lhes dar de mão beijada o processo de tomada de decisão.

Eu peço que elas façam algumas coisas que serão treinadas a fazer quando começarem seu negócio e aviso que o exercício vai mostrar se querem ou não montar seu negócio próprio; se quiserem, na verdade já começarão um passo à frente.

Peço que façam três coisas:

1. "Escreva o PORQUÊ de estar interessada neste negócio. Já falamos sobre isso, mas coloque por escrito."

2. "Sente-se com papel e caneta e faça uma lista de todo mundo que conhece. Então ponha estrelas ao lado das 30 pessoas de seu Time dos Sonhos, pessoas com quem você adoraria construir alguma coisa, embora não faça ideia de quais são os interesses delas."
3. "Quero que você pense em seu PORQUÊ e, se não continuar com este negócio, de que outra maneira chegará aonde quer estar. Qual é o seu Plano B? Escreva-o."

Então marco outra hora para conversar (lembre-se: de reunião em reunião!) e lhes peço que me mandem o dever de casa antes da ligação – o PORQUÊ delas, o número de pessoas na lista e o Plano B para chegarem a seu PORQUÊ. Isso as colocará em ação e também mostrará se estão dispostas a fazer algum trabalho e cumprir sua parte da responsabilidade. Além disso, se acabarem decidindo que o negócio não é para elas, a lista de contatos já estará pronta para você. Pronto!

Elas sumiram

Já aconteceu com todas nós, provavelmente mais vezes do que conseguimos contar. Alguém demonstra interesse, confirma o recebimento do e-mail com mais informações e, talvez, até confirma a futura ligação triangular. Então você recebe um recado. Sua candidata entrou oficialmente no Programa de Proteção a Testemunhas.

Seu primeiro pensamento deve sempre dar à pessoa o benefício da dúvida. Problemas aparecem, acidentes acontecem, seres humanos esquecem. Portanto, deixe um recado que diga algo como: "Oi, Mary, aqui é Romi. Tínhamos uma ligação marcada para este horário para ajudá-la a examinar uma oportunidade de negócio. Quero lhe oferecer alguns horários para remarcarmos. Pode ser hoje às 15 horas ou amanhã às 9h30. Qual é o melhor para você? Ligue ou mande uma mensagem dizendo o que prefere e para eu saber que você está bem. Até logo!"

Se a pessoa não der retorno, gosto de tentar de novo alguns dias depois, via e-mail ou mensagem: "Oi, Mary. Gostaria de saber se você ainda está interessada em continuar nossa conversa. Se para você for difícil dizer 'não', por favor, não se preocupe. Não tenho nenhuma expectativa quanto à sua decisão. Posso falar rapidamente hoje às X ou X horas. Avise quando é melhor para você."

Nada ainda? Deixe passar algumas semanas, e então: "Oi, Mary. Espero que esteja bem. Tenho de lhe dizer que sou muito boa no que faço. E sou muito boa em dar continuidade. Você me disse que achava que meu negócio talvez fosse um ótimo jeito de você (realizar o PORQUÊ potencial dela). Portanto, até que diga 'não', vou continuar entrando em contato com você de vez em quando."

Essa abordagem tira a pressão de cima da pessoa; ela só precisa dizer "não" se não quiser mais contato. Tenho ficado agradavelmente surpresa com o número de vezes que isso levou à continuação da conversa: "Não quero que você pare de entrar em contato comigo. Só não é a hora certa", ou "Eis o que me preocupa...".

Sei que é fácil deixar a emoção falar mais alto quando alguém some. Mas quero que você faça a si mesma esta pergunta importantíssima: você quer mesmo em sua equipe alguém que some? Ou prefere alguém que tenha a classe de lhe avisar sobre algum conflito ou mudança de ideia porque respeita seu tempo? Se fosse contratar alguém para sua equipe e tivesse que pagar o salário dela do seu bolso, você faria uma oferta a uma candidata que não aparece na entrevista? Tenho certeza que não.

Se você for parecida comigo, já terá perguntado a si mesma e também ao universo por que algumas pessoas não veem o que vemos e por que não retornam as ligações ou não aparecem nos encontros marcados.

Mas John, meu marido e sábio parceiro de negócios, me lembra do que Shawn Achor, pesquisador da felicidade e autor de best-sellers, diz e que espero que você considere importante. Conhecimento em comum não significa ação em comum. Só porque outros têm as mesmas informações que você, isso não significa que vão agir como você. Só porque você foi criada ou educada com elegância social ou etiqueta profissional, não significa que eles foram. Não leve para o lado pessoal. Não deixe que isso a esgote.

Lembre-se de que, em algum nível, pelo menos agora, elas não se importam. Não estão tão interessadas em você. Neste modelo de negócio. Em sua empresa. Em construir algo próprio. Em fazer o que sabem que será um trabalho constante. E tudo bem.

Sou a prova viva – assim como minha equipe – de que há muita gente por aí que se interessará por você, e se conversar com pessoas suficientes você as encontrará. Apenas me prometa que facilitará tudo para si mesma e para elas fazendo as perguntas que as levam a dizer a verdade. Não tenha medo do "não", porque o "não" a deixará mais perto do "sim" e mais perto de encontrar as pessoas que estão muito interessadas em você, em nosso modelo de negócio, na sua empresa e na construção de algo só delas.

> Sou a prova viva – assim como minha equipe – de que há muita gente por aí que se interessará por você, e se conversar com pessoas suficientes você as encontrará.

Apenas continue conversando com as pessoas. Ame o processo. Quando conversar com gente suficiente, encontrará aquelas que estão interessadas em você, como aconteceu comigo. É aí que fica mesmo divertido. Então seu pessoal encontrará gente muito interessada nelas.

Tenho que agradecer muito a todo mundo de nossa equipe que disse "sim". Estamos muito interessadas em vocês. Na verdade, é por causa de vocês que conversamos com as pessoas o tempo todo: para achar mais pessoas iguaizinhas a vocês.

Capítulo 9

A BOA SORTE ESTÁ NA CONTINUIDADE

Um dos maiores erros que as pessoas de nossa profissão cometem é pensar "um e pronto". Se conversam uma vez com alguém e recebem um "não", não voltam ao assunto com aquela pessoa. Ainda bem que todas vivenciamos – e com frequência – a bem-aventurança de alguém que entra em nosso funil pela primeira vez e, com uma série de conversas num curto período, compra nossos produtos ou ingressa em nossa equipe. Mas a maioria das pessoas com quem você conversar precisará ver e ouvir sua mensagem muitas vezes.

A Regra dos Sete é uma antiga máxima do marketing segundo a qual uma pessoa precisa ver ou ouvir uma mensagem pelo menos sete vezes antes de partir para a ação. Não há prova de que o número sete seja a verdade universal dos contatos. Mas é inegável que o marketing – e, em nosso caso, o marketing social – tem que ser colocado em prática num processo constante para se obter sucesso.

Por que as pessoas precisam receber a mensagem tantas vezes antes de agir? Primeiro, a quantidade de ruído com que cada uma de nós é bombardeada todos os dias é esmagadora. E, em dado dia, pode ser que a pessoa com quem você está conversando tenha lidado com tanto ruído na vida que não seja capaz de escutar de verdade, mesmo que queira. Segundo, o que você diz pode ser tão distante do que ela já pensou que uma série de exposições será necessária para que comece a aceitar a ideia. Talvez não seja a hora certa, porque ela está tão ocupada e sobrecarregada que não consegue nem se concentrar no que você está lhe dizendo. E talvez ela só não esteja olhando o que você tem a oferecer. Pelo menos, não agora.

Portanto, não se sinta mal porque as pessoas com quem está conversando não pulam a bordo na mesma hora para se integrarem à sua equipe ou se tornarem suas clientes. Quer dizer, por que você deveria ser capaz de desafiar a loteria do comportamento humano e nosso mundo ruidoso? A não ser que tenha superpoderes de manipulação da mente, isso é esperado.

No entanto, lembre-se de que, na verdade, "não" significa "agora não". Há toda uma série de estatísticas na internet sobre quantos contatos são necessários e como são poucas as pessoas que de fato fazem todos eles. Até já as citei em treinamentos de minha equipe. Infelizmente, ao fazer a pesquisa para este livro, descobri que, além de as estatísticas serem falsas, a empresa de vendas creditada como fonte também é falsa.

Mas eu não preciso de pesquisas comprovadas para dizer que, se você continuar persistindo, um bom número de pessoas comprará seus produtos ou entrará em sua equipe. Digo porque vivi isso. E sei de centenas de lindas histórias de "não" que virou "sim". O fracasso não vem de receber um "não", mas de não dar continuidade a esse "não".

> O fracasso não vem de receber um "não",
> mas de não dar continuidade a esse "não".

Se não aprendeu nenhuma lição com este capítulo, lembre-se apenas da Regra de Ouro: faça contato periódico com todo mundo com quem conversou, a não ser que já tenham entrado no negócio ou dito "Não entre mais em contato comigo". Caso contrário, você perderá aquele monte de "sim" que virá se continuar conversando. Observe que não estou excluindo as pessoas que disseram "sim" para a compra de produtos. Entrar em contato com as clientes para falar sobre o negócio e obter mais contatos é importantíssimo. Essas clientes que já amam seus produtos são a fruta mais madura do pé para você obter indicações e consultoras.

Então por que você não entra em contato constantemente? Em geral, é porque não quer forçar a barra ou ficou tão magoada com o primeiro "não" que tem medo de voltar.

Repita comigo: "Não estou forçando a barra, estou sendo profissional!" Como sabemos que as pessoas com quem você conversa são programadas pelo ambiente e pela natureza humana a dizer "não" na primeira vez, o "não" delas nada diz sobre você.

Vou contar uma história real de sucesso para inspirá-la. Jen Griswold ignorou as mensagens de Jamie Petersen, sua melhor amiga de infância, durante cerca de seis meses. Jen não estava interessada em saber sobre o novo negócio de Jamie. Mas Jamie foi persistente e continuou fazendo contato, apesar do silêncio. Jen por fim falou com Jamie e lhe disse "não". No telefonema, concordou em fazer indicações para a amiga, mas não conseguiu tirar o negócio da cabeça. Isso levou a uma ligação triangular comigo que provocou em Jen a ideia de construir uma equipe que oferecesse a esposas de militares um modo de montar negócios lucrativos, flexíveis e simples. Jen é reservista da Aeronáutica e levou muito tempo para chegar ao PORQUÊ de querer fazer isso e a seu "sim". Se Jamie tivesse desistido, nossa equipe perderia a dupla de líderes excepcionais que são Jamie e Jen, duas das mais bem-sucedidas de toda a nossa empresa.

Nossas quatro parceiras de negócios e três clientes mais recentes são pessoas com quem venho conversando há anos. Tipo dois, três, quatro e cinco anos! Nesse período, elas nos disseram "não", "agora não", "não é uma boa hora", e até não disseram nada (aquele terrível silêncio). Se tivéssemos desistido, perderíamos todos esses novos acréscimos ao nosso negócio. Seria uma vergonha para todas nós.

Fazer novo contato tu deves, e novo contato farás.

Lembra-se das ideias que dei para manter sua lista organizada? É importantíssimo encontrar um sistema que funcione com você para saber quando retomar o contato. Se precisar, volte agora, releia o capítulo 3 e então decida qual sistema adotar, seja uma planilha do Excel, um caderno, fichas soltas, um sistema on-line ou um imenso documento do Word com uma tabela, como o que eu uso há anos. Incentivo você a usar nosso sistema de agenda para manter o foco na tarefa. Sou usuária do iCal (talvez você use Outlook ou uma agenda de papel à moda antiga). Não importa o que vai usar, apenas garanta que está marcando os contatos de continuidade sempre que possível.

Por exemplo, se eu falar hoje com alguém que diz que não é a hora certa para ela porque está reformando a casa, vou lhe perguntar quando acha que o projeto terminará. Depois, digo: "Vou entrar em contato com você de novo daqui a cinco semanas. Espero receber notícias sobre o resultado maravilhoso da reforma e retomar nossa conversa. Que tal?" Então marco na agenda os detalhes, inclusive o lembrete de perguntar como ficou a reforma. Por mais maluca que seja minha vida e apesar de tudo que esqueço, não me esquecerei de fazer isso.

Gosto de pensar que retomar o contato com as pessoas é um jogo. É divertido imaginar desculpas para ligar e fazer minhas candidatas pensarem: "Tudo bem, acho melhor escutar o que Romi tem a dizer." Há muitas razões para retomar o contato, mas há sete que você realmente deveria usar.

> Gosto de pensar que retomar o contato com as pessoas é um jogo. É divertido imaginar desculpas para ligar.

Razão nº 1 para o novo contato: Dar notícias atualizadas sobre seu negócio.
Sempre que alcançar um grande marco, você terá uma ótima razão para um novo contato. Ainda que o veja como uma pequena conquista, se for de fato um passo à frente, pode ser tratado como um grande marco. Quando recuperar o investimento do primeiro cheque, entre em contato com as pessoas com quem conversou até ali. "Sei que conversamos quando lancei meu negócio, e não era a hora certa para você. Mas tenho que lhe contar o que aconteceu em apenas um mês. Já recuperei meu investimento, então daqui para a frente tudo vai me ajudar a poupar para a universidade das crianças (ou as férias, ou a entrada da casa). Acho que você deveria dar outra olhada. Pode ser o caminho para você (inclua a vantagem que há para a pessoa, com base na conversa anterior)."

Talvez seja quando for promovida de nível ou ganhar incentivos da empresa. "Queria lhe contar as novidades de meu negócio, porque realmente estou vendo um progresso aqui. Desde que conversamos, fui promovida três vezes, ou seja, minha renda continuou a crescer e ganhei uma viagem para conhecer a região vinícola da Califórnia e curtir o descanso. Talvez você devesse dar outra olhada. Com certeza seria divertido ajudá-la a ganhar um dinheiro extra e vantagens como essas."

Quando outras pessoas de sua equipe obtêm sucesso, temos outra boa razão. "Tive que entrar em contato porque, além de meu enorme sucesso, estou ajudando outras pessoas a alcançarem grandes marcos em seus negócios. Minha parceira de negócios acabou de receber uma promoção e um bônus, e está montando seu negócio enquanto cria os dois filhos e mantém o exigente emprego de enfermeira. Ela está a caminho de reduzir seus turnos em breve. Acho que você deveria dar outra olhada nisto, porque também poderia alcançar esse tipo de sucesso."

Quando nossas primeiras tentativas de conversar sobre o novo negócio vão mal ou são absolutamente horríveis, quem pode nos condenar por não querermos voltar à mesma pessoa e tentar de novo? Mas é preciso. É o que os números dizem. E dar notícias sobre seu negócio é a razão perfeita para fazer isso.

Retomei o contato com várias pessoas com quem não fui, digamos, eloquente no começo. No novo contato, minha abordagem foi de franqueza total. "Lembra da nossa conversa sobre meu novo negócio no mês passado? Quero ser franca com você. Tudo era muito novo para mim, e acho que não fiz um bom trabalho ao falar dele. Provavelmente deixei você muito confusa. Mas agora que peguei o jeito da coisa e estou vendo progresso, adoraria retomar a conversa para você realmente entender o que estamos fazendo e como fazemos. Talvez ainda não seja a opção certa para você, mas, pelo menos, saberemos. Desta vez não será porque não expliquei direito, mas porque você não quer montar seu negócio próprio paralelo para obter renda extra."

Todas as pessoas com quem voltei a entrar em contato com essa abordagem receberam bem a segunda tentativa. Como eu estava mais confiante e com uma postura mais empoderada, todas as conversas foram boas e levaram a clientes, contatos e algumas novas integrantes da equipe. E rimos muito de como eu era ruim.

Razão nº 2 para o novo contato: Lançamento de novos produtos.
Bem, isto é bem óbvio. O lançamento de novos produtos é a oportunidade perfeita para retomar o contato com todo mundo com quem você já conversou e que nunca disse "sim" ao negócio.

E quando digo todo mundo, estou falando sério. Estou falando das pessoas presas em seu funil, das fontes de contatos, das clientes, das pessoas que disseram "não" (e, por ser tão treinável, você interpretou como "agora não") e das que não disseram nada.

Talvez elas tenham mencionado antes que se interessariam por algo parecido com o que você está lançando. "Na última vez que conversamos, você disse que mais adiante talvez se interessasse por uma alternativa às injeções de botox (ou um produto para emagrecer sem glúten). Mal pude esperar para lhe contar: consegui o produto para você!"

Se não tiverem dito explicitamente que se interessariam por determinado produto, você deve se basear no que sabe sobre elas. Quando retomar o contato, comece com a vantagem. "Nas últimas vezes que a vi na academia, você se queixou de estar muito cansada. Então eu tive que entrar em contato porque acabamos de lançar uma nova fórmula clinicamente comprovada que aumenta a energia. Achei que talvez você quisesse dar uma olhada."

O lançamento de novos produtos também é uma excelente oportunidade para retomar a conversa sobre o negócio, pois todos os novos produtos oferecem a possibilidade de conquistar maior participação no mercado. "Sei que você disse que meu negócio não era a opção certa para você, mas tive que retomar o contato porque acabamos de lançar um produto novo que vai nos ajudar a obter um quinhão maior do mercado multibilionário de produtos contra o envelhecimento (ou o mercado em que sua empresa se concentra). Desde que conversamos, você já encontrou outra maneira de pagar a mensalidade da escola particular de seu filho? Bem, talvez seja bom dar outra olhada no que faço. Aposto que você conhece muita gente que gostaria deste novo produto, então por que não comprariam de você?" Essa mesma abordagem funciona para as clientes existentes. Como você vai falar com elas sobre o produto de qualquer modo, descreva também a vantagem do novo produto para os negócios.

Razão nº 3 para o novo contato: Um evento na cidade delas.
É claro que você vai aproveitar quaisquer eventos na área de seus contatos para retomar a conversa. Na verdade, treino minha equipe para usar a lista de eventos da empresa, publicada pela equipe corporativa no boletim semanal por e-mail, como uma sacudida na memória e um lembrete para retomar contatos.

Um evento local oferece uma razão orgânica para entrar em contato com alguém mais uma vez. "Sei que, na última vez que conversamos, meu negócio não era uma boa opção para você. Mas tive que entrar em contato para saber se você gostaria de retomar a conversa. Haverá um evento informal perto de você na semana que vem e, se decidir que gostaria de dar uma olhada melhor, seria uma ótima oportunidade." Se a resposta ainda for "não", um evento em um local próximo lhe dá a abertura perfeita para pedir indicações. "Entendo perfeitamente que não é uma opção para você, mas, como estamos expandindo na sua região, sua rede de contatos vai ouvir falar de nós. E se não souberem por você, adoraria que nos conhecessem e soubessem de nossos produtos por mim. Você teria mais alguns minutos para conversarmos sobre quem exatamente estou procurando e quem em sua rede deveria nos conhecer?"

Razão nº 4 para o novo contato: Boas notícias ou reportagens sobre sua empresa.
Quando sua empresa receber prêmios ou for assunto de reportagens ou cobertura da mídia, seja pelos produtos e serviços, seja pelo negócio, essa é uma ótima razão para retomar o contato com pessoas com quem você já conversou. "Oi, Maura, aqui é Romi. Sei que já conversamos sobre meu negócio e que não era uma boa opção para você, mas achei que talvez quisesses dar outra olhada.

Nosso CEO acabou de aparecer na revista *Smart Business* falando sobre como nosso negócio permite que todo mundo se torne microempreendedor. Este é outro exemplo da grande mídia abordando este novo modo de vender produtos e como pessoas como você e eu podemos nos beneficiar. Talvez ainda não seja para você. Mesmo assim, eu adoraria entrar em contato com pessoas de sua rede que talvez queiram começar um negócio próprio nas horas livres. É uma ótima oportunidade para você dar uma olhada melhor e saber o que consegui fazer desde nossa última conversa, não acha?"

Razão nº 5 para o novo contato: Ser conselheira.
Um dos livros mais úteis sobre redes eficazes que já li é *O conselheiro*, de Bob Burg e John David Mann. Os conselheiros não cultivam apenas relacionamentos unilaterais, vendo os outros como pessoas de quem se possa obter algo. Em vez disso, eles se doam às pessoas, sendo úteis, criando conexões, se interessando genuinamente pelos outros e lhes fazendo elogios. A questão é como servir. Esse é o princípio simples que vale ouro na vida e que ensino à nossa equipe e aos nossos filhos: o que você dá ao mundo é o que recebe de volta. Dê aos outros e eles lhe darão.

A questão é como servir.

Para ser uma conselheira para as pessoas de sua rede, é preciso aprender sobre elas e manter boas anotações sobre o que aprender. É por isso que, além de descobrir os pontos de dor de alguém e como seu negócio pode eliminar essa dor, é bom fazer perguntas e escutar. Assim, você pode descobrir e recordar o que interessa à pessoa e lhe enviar coisas que ela gostaria de receber.

Quando coleto dados de contato (que chamo de "números") de alguém, talvez num avião ou à beira da piscina, depois que nos separamos faço anotações sobre a pessoa, seja no próprio cartão de visitas dela, no campo de anotações dos contatos do celular ou no caderninho que levo comigo o tempo todo. Mais tarde, passo as informações para uma planilha que tenho com todos os meus contatos, na qual há uma coluna dedicada a detalhes sobre eles.

Registro coisas como "ela me disse que procura uma excelente babá". Ou talvez esteja se mudando para uma cidade onde conheço alguém e gostaria que entrassem em contato. Talvez eu só escreva o que a pessoa faz para ganhar a vida e, quando encontro algo que possa ser de interesse ou utilidade, entro em contato e ofereço.

Vou contar alguns exemplos reais de meu negócio. Conversei com uma enfermeira do norte da Califórnia que conheci quando esquiava no lago Tahoe. Ela não se interessou por nosso negócio porque era muito ocupada e sentia que não tinha tempo nem para um banho por dia. Rimos e prometemos manter contato.

Três meses depois, li uma reportagem muito interessante sobre enfermagem e assistência médica que citava especialistas e profissionais da região dela. Encaminhei-lhe a reportagem e disse: "Esta reportagem me lembrou de você, e achei que poderia interessá-la. Talvez você até conheça algumas das pessoas citadas. Estou gostando de acompanhá-la no Facebook; parece que a festa de aniversário de seu filho foi um sucesso!"

Isso levou a: "Uau, muito obrigada por pensar em mim, Romi." Então começamos um papinho sobre festas de aniversário, depois perguntei se ela ainda estava muito ocupada. Ela admitiu que meu negócio parecia muito atraente, mas simplesmente não conseguia imaginar que fosse capaz de dedicar tempo a um trabalho paralelo. No entanto, consegui lhe pedir indicações, que ela ficou contente em me fornecer, e conversamos sobre sua pele sensível, que havia piorado com o estresse. É claro que não me neguei a lhe apresentar nossos produtos, e ainda tenho uma cliente dedicada que é um outdoor ambulante.

Outro exemplo é de quando eu vinha tentando, havia bastante tempo, obter indicações da dona de uma pequena empresa, mas ela não me conectava com ninguém de sua rede. Ela conhece muita gente espalhada pelos Estados Unidos, e as pessoas a respeitam. Eu adoro genuinamente a empresa dela, e foi autêntico que eu começasse a elogiá-la nas mídias sociais e colocá-la em contato com possíveis clientes e parceiros estratégicos de negócios. Ajudei-a até a procurar uma funcionária temporária.

Ela achou que eu estava interessada de verdade em seu sucesso, e acertou. Fico muito feliz em ajudar outros empreendedores e outras mulheres. Ela começou a me encaminhar negócios, mesmo sem que eu pedisse. Ganhei algumas clientes e uma parceira. E ambas temos a sensação gostosa de saber que ajudamos e continuamos a ajudar uma colega empreendedora a crescer.

Razão nº 6 para o novo contato: Grávida, bebê pequeno ou filhos entrando na escola.

Uma das razões para muitas mulheres quererem montar um negócio próprio é finalmente alcançarem a liberdade de ficar mais tempo com os filhos. E descobri que, mesmo que as pessoas digam "não", às vezes elas passam a ver as vantagens de forma um pouco diferente quando engravidam ou têm um bebê pequeno que precisam deixar em casa para ir trabalhar.

> Às vezes elas passam a ver as vantagens de forma um pouco diferente quando engravidam ou têm um bebê pequeno.

Quando uma amiga que trabalha fora anuncia que está grávida, além de eu me sentir interessada e oferecer algumas reportagens ou recursos úteis e divertidos, sempre pergunto quanto tempo ela planeja ficar de licença depois do parto. Isso leva, inevitavelmente, a uma conversa na qual: a) ela lamenta que não terá tempo de folga suficiente ou b) ela está empolgada porque terá três meses de licença e não quer nem pensar em como fará para voltar. Essa conversa me dá abertura para sugerir que talvez ela queira dar outra olhada no que eu faço. "Sabe, entre agora e a chegada do bebê, você pode montar uma base significativa para um negócio lucrativo que talvez lhe dê mais opções depois. Uma vida profissional que caiba junto de seu bebê, e não o contrário."

No que eu chamaria de "Prospecção pós-parto", sempre que uma de minhas amigas que trabalham dá à luz, marco na agenda para entrar em contato com ela quatro meses depois de o bebê nascer. Sei como é difícil deixar o bebê em casa e voltar a trabalhar depois da licença-maternidade. É de cortar o coração. Eu me lembro do primeiro dia de trabalho depois que Nate nasceu: chorei o caminho todo até lá, durante o almoço e quando o peguei de novo no colo.

Portanto, é claro que vou manter contato com minha amiga antes que a licença-maternidade acabe e me tornarei uma conselheira, oferecendo dicas, apoio à falta de sono e apreciação genuína pela torrente interminável de fotos que descrevem cada movimento do novo bebê. E descobri que, depois de um mês da volta ao trabalho, provavelmente ela irá adorar conversar sobre como ficar em casa o tempo todo, e estará de volta ao ritmo normal a ponto de pensar em acrescentar mais uma atividade à sua vida. Essa abordagem trouxe montes de mamães recentes ou futuras à nossa equipe.

Razão nº 7 para o novo contato: Quando alguém igual a ela tem sucesso.

Acho que essa é a mais fácil. É bom voltar às pessoas de seu funil quando alguém igual a elas faz algo digno de nota. Quando alguém igual a elas entra na equipe. "Oi, Lisa. É Romi, e eu estava pensando em você porque, ontem à noite, uma professora entrou em minha equipe. Mary, minha nova parceira, está empolgadíssima porque vou ajudá-la a montar um negócio que vai igualar ou exceder seu salário de professora para que, no futuro, ela possa ficar mais tempo com os filhos. Não pude deixar de pensar que talvez você quisesse dar outra olhada, já que sei que gostaria de largar as aulas particulares que dá no verão."

Volte às pessoas de seu funil quando alguém igual a elas fizer algo digno de nota.

Também retomo o contato quando alguém como elas é promovida ou ganha incentivos. Pode acreditar: toda vez que uma corretora de imóveis ganha um carro ou uma viagem luxuosa em nossa empresa, entro em contato com todas as corretoras que conheço. E isso vale para todos os outros setores. "Uma corretora de imóveis com quem trabalho está comemorando seu imenso sucesso em nosso negócio, por isso pensei em você. Ela acabou de ganhar um carro e uma viagem a Maui e está zonza com as vantagens que não tem em seu emprego formal. Achei que talvez você quisesse dar outra olhada no que fazemos. Se as vantagens não a empolgam, talvez a renda extra protegida dos altos e baixos do mercado seja um incentivo."

Outra razão cativante é quando alguém igual a elas deixa o emprego formal por causa da renda obtida com o trabalho paralelo. "Tammy, eu tive que entrar em contato com você porque uma contadora com quem trabalho pediu demissão da empresa agora que seu negócio paralelo cresceu muito. Ela está empolgadíssima porque não terá que enfrentar outra temporada de declarações de imposto de renda. Achei que você gostaria de dar outra olhada no que estamos fazendo."

Agora, vamos fazer você retomar seus contatos.

> ### Entre em ação
>
> Todo dia, nos próximos seis dias, escolha uma das razões que examinamos e pense com quem você pode retomar o contato usando essa razão como gancho. Anote pelo menos três pessoas para cada razão. Incorpore esse exercício às atividades semanais, e toda semana faça um "Dia de retomar contatos". Você se treinará a pensar constantemente em novas razões e fará disso uma parte rotineira de seu negócio.

É só dar continuidade. Se não der, você estará deixando dinheiro na mesa e se impedindo de montar um negócio capaz de libertá-la. Portanto, levante-se da cadeira! E pense em quão irritada você ficaria se entrasse em contato quatro vezes com alguém, mas fosse outra consultora que fizesse a quinta exposição – quando era a hora certa para sua candidata –, e ela entrasse na equipe *daquela* pessoa ou se tornasse cliente *dela*! Ela deveria ser sua. Faça com que sempre seja.

Capítulo 10

O SEGREDO DA DUPLICAÇÃO

Montar uma equipe de sucesso e ter uma renda lucrativa exigem duplicação. Isso significa acrescentar clientes e parceiros de negócios que, por sua vez, acrescentam mais clientes e parceiros de negócios. Então a pergunta de 1 milhão de dólares, que escuto o tempo todo, é: como duplicar?

É mais simples do que você pensa. E, quanto mais você complicar o processo, mais lentamente vai crescer. Portanto, vamos falar de como manter a simplicidade e se multiplicar como coelhos, como costumo me referir afetuosamente a nossa equipe.

Começa com você

A única parte deste negócio sobre a qual temos controle total é a nossa própria atividade. Agora, se você for obcecada por controle como eu, a falta de controle deste trabalho pode ser muito frustrante. Portanto, se você for meio doida por controle, sugiro que supere isso como eu mesma tive que fazer – e que seja agora.

Porque a duplicação e, em última análise, o sucesso neste negócio começam conosco.

Quero que você se faça uma pergunta simplíssima, porém importante: se todo mundo em sua equipe fizesse exatamente o que você faz todos os dias, todas as semanas e todos os meses, de que tamanho seria seu negócio?

Sempre que se sentir frustrada porque seu negócio não está crescendo, pergunte-se isso.

Eu ainda me faço essa mesma pergunta. Sempre que noto que o crescimento de nossa equipe não é tão rápido ou acelerado quanto eu gostaria, olho primeiro o que eu mesma estou fazendo.

Eis a listinha do que você deve fazer para começar o processo de duplicação:

- aumentar constantemente sua lista;
- estabelecer e retomar contato com as pessoas de sua lista;
- convidar pessoas interessadas no negócio para eventos ou ligações triangulares e, se for a opção certa, acrescentá-las à equipe;
- acrescentar como clientes as que não se interessarem pelo negócio e pedir a elas indicação de contatos;
- ser paga.

Se fizer todas essas coisas o tempo todo, você ensinará sua equipe a fazer o mesmo simplesmente copiando seu comportamento. Há mais uma coisa muito importante:

- divirta-se.

Descobri que as pessoas acabam entrando na equipe por causa de você e sua energia. Uma das coisas que atraem as pessoas, além do potencial de ganho financeiro, é o ganho emocional.

É a satisfação de construir algo só seu, mas também de ter na vida algo que seja diferente, uma nova aventura que possa ser um válvula de escape divertida. Portanto, não se esqueça de se divertir, porque, se você não se divertir, elas vão perceber.

Houve uma coisa interessante sobre a atividade pessoal que minha querida parceira de negócios Bridget Cavanaugh descobriu analisando os dados de sua equipe. Seu pessoal fará, em média, metade do que você faz. E essas são as "corredoras". Examinei nossa equipe com o passar dos anos e, caramba, ela acertou em cheio! Chamo isso de Regra da Metade. É claro que há exceções, pessoas singulares que fazem tanto ou mais que um líder de grande produção. Eu espero que você encontre algumas. Mas são raras. Não tanto quanto os unicórnios, mas quase. Portanto, suponha que a Regra da Metade se aplica a você.

Suponhamos, portanto, que você mal esteja fazendo o mínimo para garantir um cheque. A Regra da Metade diz que seu pessoal fará metade disso. O que é de dar pena.

É por isso que, para construir algo grande, você tem que se comprometer hoje a ter a maior produção de sua equipe. Depois, comprometa-se a se superar a cada mês para mostrar à equipe como é que se faz.

> Para construir algo grande, você tem que se comprometer hoje a ter a maior produção de sua equipe.

Foi o que fiz. Logo no começo reconheci que não podia pedir à minha equipe que fizesse o que eu mesma não me dispunha a fazer. Eu conversava constantemente com as outras e, a cada mês, acrescentava clientes e parceiras de negócios. Meu volume pessoal continuou crescendo cada vez mais. Tive que estabelecer o ritmo para ver quem acompanhava. Essas é que obteriam meu tempo.

As integrantes da equipe me procuram o tempo todo com alguma variante desta frustração: "Estou fazendo tudo o que você nos ensina, mas nada acontece. Minha equipe não se duplica. Elas não fazem contato com ninguém e não me trazem ligações triangulares."

E o que eu sempre digo é que se alguém não faz contato nem conversa, é bom descobrir por que e realmente ter no coração o bem dessa pessoa. Tenha com ela uma conversa que seja mais ou menos assim: "Lisa, eu me lembro de você dizer que queria desesperadamente parar de dar aulas porque está cansada das demissões e gostaria de passar mais tempo com seus filhos do que com os filhos dos outros. Como discutimos, este é um ótimo meio. Mas não vai cair do céu, querida. Ele exige que você saia de sua zona de conforto e realmente dê esses telefonemas. Portanto, vamos conversar sobre por que você não está fazendo isso. É porque está com dificuldade de organizar a agenda? É porque ainda não tem certeza do que vai dizer? É porque não sabe se está no negócio certo? Vamos cair na real. Você pode ser totalmente franca comigo. Só assim posso ajudá-la."

Você acrescentou ou vai acrescentar à equipe integrantes que, no fim das contas, não vão querer fazer o serviço pesado e constante necessário para construir o negócio. Tudo bem. Porque, se você fez o que tinha que fazer como parceira *upline* delas para que começassem fortes e lhes ensinou a fazer com suas respectivas equipes tudo o que você deve estar fazendo, então cumpriu sua tarefa. Tenha uma boa conversa com elas sobre o que realmente querem e deixe claro que ainda não estão igualando (ou semi-igualando) seu esforço, e o resto é com elas.

Podemos ensinar. Podemos treinar. Podemos inspirar. Podemos colaborar. Podemos rir. Podemos nos divertir juntas. Podemos sonhar. Podemos planejar. Mas não podemos motivar. Isso tem que vir de dentro de cada uma de nós.

É claro que temos a obrigação de estar próximas para trabalhar com nossas parceiras, ensinando as habilidades básicas para que elas possam duplicar. Desde que apareçam e igualem nosso esforço, nós as ajudaremos a ter um bom começo. Depois que tiverem aprendido o básico, a melhor maneira de ensinar suas parceiras a crescer é fazer ligações triangulares com elas e suas candidatas e ajudá-las a planejar estratégias quando começarem a construir uma equipe. Mas isso exige que elas realmente se comprometam com a atividade produtora de renda (APR) persistente: conversar com pessoas para encontrar as interessadas que queiram saber mais. Se uma integrante da equipe não faz isso, nada podemos fazer por ela.

Quer um negócio grande, bem-sucedido, com crescimento exponencial? Então continue aumentando sua lista, fazendo contato com outras pessoas, usando eventos e ligações triangulares para empurrar essas pessoas pelo seu funil para que tomem uma decisão, inscrevendo parceiras de negócios, acrescentando clientes e sendo paga. Continue fazendo isso, e você vai crescer cada vez mais e dividirá seu sucesso e sua experiência com as integrantes de sua equipe, o que lhes mostra como fazer a mesma coisa. Quando você se diverte e continua fazendo tudo isso sem parar – lave, enxague, repita –, você encontra pessoas automotivadas, que veem o que você vê e se dispõem a sair da zona de conforto e fazer todo esse trabalho pesado. Então elas também encontrarão pessoas motivadas que queiram progredir. É assim que se duplica.

Algumas de vocês aí talvez estejam pensando agora: "É isso? Mesmo?" É, é isso. Portanto, cresçam e multipliquem-se como coelhinhos. Tudo começa com você.

Capítulo 11

AS BOBAGENS QUE DIZEMOS A NÓS MESMAS

Agora espero que você tenha uma boa ideia de como lidar com as objeções das candidatas. Mas há outras objeções que podem ser mais difíceis de superar: aquelas que você faz a si mesma e que a impedem de montar um negócio enorme capaz de libertá-la.

Você pode dar 1 milhão de razões para explicar por que isso não funciona com você. Ou por que não cresceria tanto. Quero examinar as desculpas mais comuns que você e as integrantes de sua equipe podem estar dando a si mesmas para não construir o negócio que dizem que querem. Vou chamar todas elas de bobagens. Também vou lhe mostrar o que realmente há por trás dessas desculpas e como você pode superá-las para chegar ao verdadeiro trabalho empolgante na vida: tornar-se a pessoa que você deveria ser.

Não tenho tempo para isso

Vamos abordar primeiro a bobagem mais comum em nossa profissão. Talvez você diga: "Sou incapaz de fazer isso de forma constante porque não tenho tempo." Mas sejamos francas. Na verdade, você está dizendo "Não dei prioridade a isso". Até que esse negócio seja prioridade, você terá problemas de gestão do tempo e será fácil evitar trabalhar nele.

Achamos tempo para tudo que é importante para nós. Pense bem. As férias que achava que não conseguiria tirar por causa da montanha de trabalho que tinha que fazer. O jogo de futebol do filho, mesmo que a tenha forçado a remarcar quatro reuniões. Ficar acordada para assistir a *Game of Thrones*, embora isso atrapalhasse suas sete horas de sono. A horinha apertada no cabeleireiro num dia já cheio para ficar fabulosa para a festa à noite. Qualquer inconveniência ou consequência negativa de fazer essas coisas teve menos peso do que seu desejo de fazê-las.

Na próxima vez que disser "Não tenho tempo", tente dizer "Não é prioridade" e veja como se sente. "Não tenho tempo para telefonar para três pessoas novas hoje" vira "Não é prioridade para mim telefonar para três pessoas novas hoje". Se não for prioridade, tudo bem. O negócio é seu e a vida é sua. Mas não se engane nem engane suas parceiras de negócios dizendo que quer construir um negócio imenso se realmente não estiver disposta a torná-lo sua maior prioridade.

> Na próxima vez que disser "Não tenho tempo", tente dizer "Não é prioridade" e veja como se sente.

Lembre-se de que examinamos em detalhes no capítulo 2 que seu PORQUÊ tem que ser grande a ponto de contrabalançar toda a dor e a inconveniência que acompanham a construção deste negócio. Talvez seu PORQUÊ *seja* grande o bastante e você *esteja* arranjando tempo para o seu negócio, mas acha que ele simplesmente não cresce. Pode ser que esteja empregando seu tempo no *lugar errado*.

A coisa número 1 para a qual você tem que arranjar tempo é a prospecção de pessoal. Já conversamos sobre a verdade essencial de que a maior parte de seu tempo – pelo menos 80% – deve ser dedicada ao recrutamento pessoal e o treinamento de suas novatas. Você também aprendeu que primeiro é preciso se pagar fazendo seu trabalho de prospecção e recrutamento; portanto, não importa o que mais aconteça em sua agenda, você já cuidou daquilo que pode controlar. Isso lhe assegura um fluxo interminável de pessoas examinando seu negócio, entrando em seu negócio e montando negócios próprios.

Mas você pode argumentar que, com todas as outras responsabilidades da equipe, você simplesmente não consegue. Vou ser clara: a responsabilidade número 1 que você tem perante sua equipe é estabelecer o ritmo e um modelo de duplicação que a equipe consiga seguir.

Do ponto de vista racional, acho que tudo isso faz sentido para você e para milhares e milhares de pessoas iguais a você. Então por que dizer que não tem tempo suficiente para fazer contato e conversar com pessoas?

Porque é difícil. E, como seres humanos, fazemos tudo e mais alguma coisa para evitar o que é difícil. Mas eis a questão: as coisas difíceis é que são mais importantes. Confie em mim, não sou imune a isso. Na verdade, isso me acontece o tempo todo. Inclusive enquanto escrevo este capítulo.

> Então por que dizer que não tem tempo suficiente para fazer contato e conversar com pessoas? Porque é difícil. Mas eis a questão: as coisas difíceis é que são mais importantes.

Enquanto estou escrevendo, em vez de me concentrar somente em tirar da cabeça meus pensamentos sobre este assunto e colocá-los na página com meus dedos, eu:

1. dei uma olhada no Messenger do Facebook e enviei duas mensagens;
2. verifiquei os e-mails e respondi a três deles;
3. mandei um e-mail para lembrar à minha convidada da ligação de treinamento da equipe nesta semana;
4. marquei hora no cabeleireiro (o que me lembrei de fazer depois de digitar "horinha no cabeleireiro");
5. levantei-me para pedir um chá gelado (nenhuma garota consegue escrever com sede);
6. atualizei a lista do supermercado;
7. fui ver quem respondeu ao convite para nossa festa de verão;
8. fui ao banheiro (excesso de chá gelado).

Por que fiz tudo isso quando havia reservado para mim mesma duas horas especificamente para me concentrar na escrita? Por que, mesmo quando me refugiei num Starbucks, sem filhos, cachorro, serviço doméstico nem nenhum conhecido para me distrair, não aproveitei essas duas horas e terminei o capítulo? Porque escrever é difícil.

Mas espere: fiz faculdade de jornalismo, fui advogada, fui executiva de relações públicas. Escrever é o que eu sempre fiz para viver. "Mas isto é diferente", diz a vozinha dentro da minha cabeça. "Aqui é VOCÊ se revelando no papel. E pode ser ruim e não ajudar ninguém, e descobrirão que você não sabe nada sobre o que está falando." Em outras palavras, escrever este livro me deixa vulnerável. Eu ficarei exposta ao mundo inteiro para me criticarem.

Para ser absolutamente franca, todo este livro já estaria pronto na editora meses atrás se não fosse tão difícil me expor e tão fácil evitar as coisas difíceis.

Mas chega de falar de mim; voltemos a você. Aposto mil dólares que você está fazendo tudo em seu negócio *antes* de conversar com as pessoas sobre ele. Todas as outras coisas que você considera tão necessárias para o crescimento de seu império e que estão lhe tirando o tempo disponível para falar com as pessoas. Porque, quando fala com elas sobre seu negócio, seus sonhos e suas esperanças, você se expõe. Fica aberta. Vulnerável. Você se torna suscetível à rejeição. Em outras palavras, é *difícil*.

É muito mais fácil fazer contato com uma das integrantes de sua equipe para lhe dizer, numa "ligação de treinamento", as mesmas coisas que já disse e que ela já ouviu em várias ligações de treinamento. É muito mais fácil ligar para sua parceira a quem costuma prestar contas e se queixar do último produto que se esgotou no estoque. Ou dizer novamente à integrante da equipe que faça contato e converse com três pessoas por dia, porque ela ainda não está fazendo isso. Pois quer saber, irmã, você também não!

Vamos ser muito claras sobre o que você deve fazer para montar um negócio lucrativo.

- Fazer contato e conversar com as pessoas sobre seu negócio e seus produtos e descobrir quem está procurando o que você tem a oferecer. É aí que você emprega a imensa maioria de seu tempo – pelo menos 80%.
- Treinar suas novatas nas coisas básicas.
- Fazer ligações triangulares com suas novatas e as outras parceiras diretas de negócios.
- Montar estratégias com suas corredoras para apoiar as integrantes da equipe que estão andando e correndo.
- Reconhecer e elogiar as conquistas.

> ### *Entre em ação*
>
> Na próxima semana, faça uma lista de todas as atividades ligadas a seu negócio às quais você dedica seu tempo e registre o tempo real que passa em cada uma delas. Acho que você vai se espantar ao ver para onde seu tempo está indo. Depois risque com caneta vermelha tudo o que não estiver nas categorias que acabamos de mencionar. Por fim, ponha na agenda as coisas difíceis – tempo dedicado a fazer contatos e conversar com pessoas sobre seu negócio e seus produtos.

Estou conversando com gente suficiente

Digamos que você esteja encontrando tempo para falar com as pessoas. Fantástico! Já é um começo. Mas outra grande bobagem que dizemos a nós mesmas é que já falamos com gente *suficiente*.

Fui uma das organizadoras de uma série de treinamentos para algumas parceiras em ascensão de nossa equipe, e Dorrit Karl, minha parceira direta de negócios que agora é uma das principais líderes de nossa equipe, estava participando. A turma foi desafiada a dobrar numa semana a quantidade de gente com quem entrava em contato. Dorrit aceitou o desafio e não conseguiu acreditar no volume de atividade que isso gerou em seu negócio em apenas sete dias.

Ela estava marcando ligações triangulares por causa dos novos contatos e agendando mais contatos de continuidade para falar com pessoas que já haviam dito "não" ou "agora não". E acrescentou mais clientes e parceiras de negócios naquela semana do que nas cinco semanas anteriores somadas! Depois de contar seu progresso na audioconferência semanal da turma, perguntaram a ela qual tinha sido a diferença nessa semana. Então Dorrit disse algo que virou lenda em nossa empresa: "Eu não sabia que não estava falando com gente suficiente até que comecei a falar com gente suficiente." É isso aí!

Como muitas de vocês, Dorrit se enganou ao pensar que realmente já estava falando com gente suficiente. Na verdade, ela só tinha algumas pessoas em seu funil. Mas se levara a pensar que estava muito ocupada. "O exercício foi um tapa na cara", admitiu ela. "Mudou para sempre o jeito como lido com meu negócio."

Dorrit começou a seguir um sistema diário de contatos que muitas seguimos e que foi formalizado por outra integrante de nossa equipe no topo da empresa, Marissa McDonough. (Ela é minha conterrânea de Butte, no estado de Montana, nos Estados Unidos, uma das mulheres mais legais que conheço, então tenho muito carinho por ela.) Chama-se "Método 5-3-2". Como tudo que de fato funciona neste negócio, é simples. Entre em contato com cinco pessoas novas por dia, retome o contato com três pessoas de seu funil e faça contato rápido com duas parceiras de negócios, mesmo que seja apenas uma breve mensagem de incentivo ou um olá no Facebook.

Essa atividade, além de renovar o envolvimento de Dorrit com seu negócio, também aumentou sua crença e seu entusiasmo. Ela ficou mais confiante, e isso a deixou mais magnética e mais eficaz na prospecção. Não surpreende que tivesse começado a ver resultados constantes. Ela abriu caminho até ganhar um carro de presente, viagens luxuosas para ela e o marido Scott ao Havaí e Londres, e chegou ao topo da empresa. A duplicação da equipe e seu pagamento continuam a aumentar.

Portanto, se você ou uma integrante de sua equipe não estiverem crescendo ou, pior, estiverem andando para trás, pergunte a si mesma (ou à integrante da equipe):

- Quantas vezes esta semana você apresentou a oportunidade a alguém?
- Quantas ligações triangulares você fez esta semana?

Não se pode vir com enrolação para cima dos números. Eis o que sei depois de montar um negócio de sete dígitos: se você não está acrescentando clientes e parceiras de negócios, o mais provável é que não esteja falando com gente suficiente. Portanto, fale sempre com pessoas novas. Todo santo dia. É assim que você encontra quem queira usar seus produtos e saber mais sobre seu negócio. Isso significa que você levará ligações triangulares à sua *upline*. Significa que adicionará parceiras de negócios. E assim você será um modelo para toda a sua equipe. Este negócio depende de números, e contra números não há enrolação.

> Este negócio depende de números, e contra números não há enrolação.

Já recrutei pessoas suficientes

Talvez você diga a si mesma: "Ei, estou trabalhando com uma loteria. Recrutei 20 (ou 30 ou 40) pessoas e não estou onde deveria estar (ou pensei que estaria)." Vamos pensar nisso um minuto. Se fosse suficiente recrutar apenas esse pequeno número, você ouviria histórias de enorme sucesso neste canal de negócios o tempo todo, certo? E não ouvimos. Portanto, isso não deve ser suficiente.

Meu amigo Richard Bliss Brooke, que é uma lenda viva nesta profissão, estudou quantas pessoas são necessárias para construir algo grande. Ele conversou com centenas e mais centenas de profissionais bem-sucedidos no marketing multinível e descobriu o que todos temos em comum. Recrutamos pelo menos 100 pessoas em nossos dois primeiros anos. Se você está no terceiro ano de seu negócio, houver recrutado menos de 50 pessoas e não chegou aonde quer, eis sua grande dica.

Desafio você a se comprometer a trazer 25 pessoas nos próximos seis meses. Depois mais 25 pessoas nos seis meses seguintes. Serão 50 pessoas em um ano. E se você não conseguir? Tentará acertar a Lua, mas acabará entre as estrelas. Estará muito mais perto de sua meta do que está agora. Entre essas pessoas novas, você encontrará quem queira algo grande. E sua conta bancária ficará claramente mais feliz com todo esse esforço.

Estou sendo treinável, mas nada acontece

Tenho certeza de que você acha que está sendo treinável e, na verdade, pode mesmo estar tentando. Mas, se fosse 100% treinável, teria sucesso. Está realmente conversando com gente suficiente, começando com o negócio e passando aos produtos? Está se escondendo atrás do e-mail e das mensagens para conversar com sua rede ou está pegando o bendito do telefone como lhe ensinaram? Está sendo persistente, trabalhando em seu negócio todos os dias? Tem fé na ligação triangular? Está exercitando seu cérebro todos os dias? A resposta a essas perguntas, se você for franca, revelará o que está errado.

Se fosse 100% treinável, você teria sucesso.

Tudo bem, talvez você tenha sido treinável, mas tem recebido um péssimo treinamento. A culpa não é sua, e sinto muito que isso tenha acontecido. Mas fique contente por ter encontrado este livro. Porque já comprovei várias vezes que, quando as pessoas seguem o que expliquei aqui, o empreendimento cresce. E elas se divertem muito no processo.

Consegui uma corredora

Isso é algo que me deixa completamente maluca: é uma bobagem comum que dizemos e que causa a maior confusão na nossa cabeça e, por fim, no negócio.

Ouço o tempo todo: "Ai, meu Deus, consegui uma corredora (ou superestrela, ou insira o nome usado para descrever alguém que vai mais depressa do que a média)." Mas, na verdade, sua "corredora" estacionou no volume pessoal mínimo para ganhar comissão por três meses seguidos. Tudo bem, gente. Isso não é uma corredora, superestrela nem astro do rock. É uma amadora que faz apenas o necessário para ganhar comissão em um plano de pagamento. Isso é, no mínimo, medíocre.

Uma corredora é alguém que segue o sistema ao pé da letra. Que faz contato com pessoas novas o tempo todo, que lhe traz várias ligações triangulares por semana. Que acrescenta novas parceiras de negócios todo mês e não para. Essa é uma corredora. É como Dorrit com as conversas. Você só vai saber o que é uma corredora quando tiver uma. Portanto, até encontrá-la, confie em mim.

Você deve avaliar regularmente o que já tem para poder saber até onde precisa ir para atingir sua meta. Isso exige que você seja realista. Se estiver se enganando, achando que tem corredoras, superestrelas e outras que são incríveis (ou seja, clientes que compram no atacado, amadoras e pessoas que encaram isso como um passatempo), você vai desacelerar sua atividade. E isso a impedirá de achar por aí as pessoas que correriam com você.

Outra razão para exagerarmos ou caracterizarmos erradamente

a atividade e o compromisso das pessoas de nossa equipe é que isso facilita justificarmos o tempo gasto com o treinamento delas em vez de investirmos mais tempo no que é difícil. Sinto muito, mas, se parar de fazer todo esse "treinamento" (ou seja, implorar, arrastar, carregar), você terá mais tempo para fazer contato, conversar com muita gente e encontrar as pessoas certas. Portanto, seja realista consigo mesma e com sua equipe. Pare de matar seu tempo. Faça o que é difícil e aumente sua riqueza.

Só consigo vender produtos

Errado. Bobagem total. O verdadeiro problema é que você está começando com os produtos e não fala o suficiente sobre o negócio. Lembre-se: na imensa maioria das vezes, começamos com o negócio e depois passamos aos produtos. Há duas razões para você não começar com o negócio. Você se sente insegura quando fala do negócio ou, simplesmente, não é treinável. Portanto, se não estiver começando com o negócio, pergunte-se qual dessas duas razões se aplica a você.

Mas a verdade inescapável é: obtemos o que pedimos. Se não falar do negócio, você nunca acrescentará parceiras de negócios. Além disso, a conversa simplesmente não vai fluir se você começar com o produto. Quando falar com alguém sobre os produtos e a pessoa disser "Não, não quero usar seus produtos", como é que você vai fazer a transição para "Bem, que tal pensar em montar um negócio com estes produtos pelos quais você não se interessou?"?

Obtemos o que pedimos. Se não falar do negócio, você nunca acrescentará parceiras de negócios.

Há incontáveis histórias em nossa empresa de pessoas que acrescentaram clientes e nunca falaram do negócio. Mas ficam irritadas quando a cliente diz a elas que quer entrar na equipe de outra consultora. Que azar, colega, a outra consultora realmente teve uma conversa sobre o negócio com ela.

Se você começa com os produtos, provavelmente faz isso porque se sente mais segura. É mais confortável. O importante é descobrir por que para você é desconfortável começar com o negócio. É nisso que você deveria estar trabalhando.

Não preciso de ligações triangulares

Ah, essa é uma bobagem das grandes. Você precisa usá-las, seja uma novata, seja uma veterana tarimbada na profissão. Se não acredita, volte e releia o capítulo 6.

Não tenho a rede certa

Mais uma vez: bobagem! Você está prejulgando. Na verdade, não tem como saber o que uma pessoa quer, precisa ou procura até conversar com ela. Você não faz ideia de quem realmente pode fazer este negócio crescer. Muita gente me disse que nunca pensaria, nem em 1 milhão de anos, que eu construiria um negócio de marketing multinível. E eu poderia dizer o mesmo sobre algumas das participantes mais valiosas em minha equipe.

Quem tem a rede certa? Qualquer um com coragem suficiente para fazer contato e conversar com pessoas que conhece e lhe foram indicadas. Na maioria das vezes, quando dá essa desculpa, na verdade o que você está dizendo é: "Sou covarde demais para fazer contato com quem realmente poderia correr comigo nisto e ganhar uma fortuna para si e para mim." Você também pode estar dizendo, e isso muito me entristece: "Acho que não sou digna de alcançar tamanho sucesso."

Não quero ser *aquela* pessoa de quem todo mundo quer fugir

Ora bolas, eu também não quero ser AQUELA pessoa. Por algum motivo, em algum momento, você pôs na cabeça que falar com as pessoas sobre seu negócio e seus produtos as incomoda. E se você soubesse que a próxima pessoa a quem vai mandar uma mensagem pelo Facebook para iniciar uma conversa precisa desesperadamente de mais dinheiro para sair de um casamento falido?

E se a próxima pessoa que você encontrar estiver morando em uma casa luxuosa que não pode mais pagar e precisando recorrer à ajuda do governo para alimentar as filhas?

E se a próxima pessoa para quem você vai telefonar estiver tentando recuperar a própria identidade, além do papel de mãe e esposa, e sente falta dos benefícios sociais, intelectuais e financeiros de trabalhar, mas precisa de flexibilidade?

Essas são histórias REAIS de integrantes de nossa equipe, e agora todas dirigem os carros que ganharam. (Nos referimos aos carros Lexus que ganhamos como Lexus Starfire Pearl. Levamos tudo isso *muito* a sério.)

Para as pessoas certas, você tem uma dádiva. Não decida por elas se precisam ou não dessa dádiva. Tenha por elas o mais alto apreço e permita que decidam por si mesmas. Você já aprendeu que, por serem humanas, elas já estão programadas para dizer "não". Portanto, se a resposta for negativa, não leve para o lado pessoal. Passe para a próxima pessoa e lembre-se de retomar o contato para dar continuidade àquele "não" inicial. Temos um monte de ganhadoras de carro que primeiro disseram "não", mas na verdade queriam dizer "agora não".

Não quero trabalhar de reunião em reunião porque não quero forçar a barra

Trabalhar com base em encontros marcados não é forçar a barra. É algo bem diferente: é ser profissional. Seu tempo é valioso e o da candidata também. Pare com toda essa cautela e seja eficiente na condução de sua candidata pelo processo de descobrir se essa opção é boa para ela. Se não marcar hora, você estará caçando pessoas. O que, sem dúvida, fará você sentir que está forçando a barra e que é uma "daquelas pessoas". Portanto, poupe-se desse sofrimento, trate os outros como gostaria de ser tratada e seja profissional.

Isso deveria ser mais fácil

Por quê? Acho que você está confundindo simples com fácil. Sim, nosso negócio é incrivelmente simples, mas isso não significa que seja fácil. Dê um exemplo de uma realização muito gratificante que seja fácil. Casamento, maternidade, obter um mestrado, correr uma maratona, ficar em boa forma e mantê-la. Alguma dessas coisas é fácil? Não, todas elas dão muito trabalho. E também são incrivelmente gratificantes.

> Nosso negócio é incrivelmente simples, mas isso não significa que seja fácil.

Então por que acha que construir um negócio próprio de seis

ou sete dígitos seria fácil? É verdade que é bem mais simples montar este negócio do que ter que construir toda a infraestrutura e tudo o mais que costuma ser preciso para criar um negócio do zero. Sem dúvida, é mais simples que isso. Mas não é fácil.

Portanto, pare de reclamar que não é fácil e trabalhe mais e com mais inteligência. Adoro uma frase do empreendedor, investidor, produtor de cinema, escritor, astro de TV e filantropo Mark Cuban, que sabe um pouquinho sobre o sucesso. Ele diz: "Trabalhe como se houvesse alguém trabalhando 24 horas por dia para tirar o que você tem." Em outras palavras, trabalhe com afinco e persistência e terá sucesso. Não é complicado.

Não tenho o necessário para ser líder

Talvez você diga a si mesma que "gente de sucesso" possui talentos, experiência e acesso a coisas que você não tem. Mas a lista interminável de histórias de sucesso em nossa profissão, de pessoas com todos os tipos de histórico, prova que isso não passa de bobagem.

Na verdade, você está dizendo a si mesma que não acredita que tem o necessário para liderar ou que não merece o sucesso. Se estiver levando consigo essas crenças prejudiciais, saiba que não é a única. Essas dúvidas podem afligir e de fato afligem muitas pessoas, desde mulheres com grandes carreiras corporativas até as donas de casa que nunca trabalharam fora. São muito mais comuns do que imaginei.

Mas também chamo isso de bobagem. Jason MacEndoo, premiado treinador universitário da linha ofensiva do futebol americano, resumiu muito bem: "Liderança tem a ver com influência, nada mais, nada menos. Os líderes são agentes de mudança que agregam valor aos que o cercam e causam impacto positivo em sua organização. O bom líder inspira seus seguidores a terem confiança nele. Mas o grande líder inspira seus seguidores a terem confiança em si mesmos." [MacEndoo, J., "Do Hard Times Create Good Leaders?", ou "Tempos difíceis criam bons líderes?", em tradução livre, *Mountains & Minds Magazine*, 2013.]

A liderança não é complicada. Qualquer um pode ser líder nesta profissão se mostrar à equipe como crescer. E você faz isso construindo seu negócio. Diga o que faz e faça o que diz. Se você estiver disposta a fazer tudo o que é necessário para duplicar neste negócio, você vai inspirar. Então, sem nem tentar, estará liderando. A questão é simplesmente termos confiança em nós, acreditar que temos valor e agir para alcançar nossas metas. É isso que inspira os outros.

Vou cometer erros

Tudo bem, isso não é bobagem. Você *vai mesmo* cometer erros. Você *vai* falhar. Mas a bobagem disso aí é que, de certo modo, você está dizendo a si mesma que não deveria cometer erros para ter sucesso ou que, sei lá como, há outros seres humanos ungidos que nasceram com imunidade a erros, a estragar tudo ou a cair de cara no chão.

E aí é que está: nenhum de nós é imune a falhas – graças a Deus! Porque aprendi, como empreendedora, esposa, mãe, irmã e ser humano, que não podemos aprender nada direito sem cometer erros. Sir Richard Branson, minha grande paixão nos negócios, é cheio de pérolas de sabedoria sobre a importância do fracasso. Sempre que errei, repassei em minha cabeça essas famosas citações suas, tão postadas e tuitadas: "O fracasso é simplesmente indispensável para a experiência empresarial" e "Ninguém acerta tudo o tempo todo, e o modo como aprendemos com nossos erros é que nos define".

Quando estrago tudo – e isso me acontece praticamente todos os dias em alguma área da vida –, faço um exercício que leva poucos minutos e é de uma ajuda tremenda. Incentivo você a experimentar. Pare e pense sobre o que aconteceu, por que aconteceu e o que você pode aprender. Depois esqueça. Seja bondosa consigo. Esse exercício se mostrou valioso não só para evitar a repetição do erro, mas para dar ideias que me ajudam a me tornar um ser humano melhor, mais feliz e mais realizado.

Quando você e aqueles com quem trabalha cometerem erros, seja elegante com eles e consigo mesma. Porque todos somos obras em andamento. Não é ótimo?

> Quando você e aqueles com quem trabalha cometerem erros, seja elegante com eles e consigo mesma. Porque todos somos obras em andamento.

O mercado está saturado / este negócio não dá certo em nossa cidade / não tenho ninguém por perto para me ajudar

Sou capaz de urrar quando ouço essas bobagens como desculpa. Comecei meu negócio na próspera metrópole de Bozeman, no estado de Montana, com 39 mil habitantes. Fui a primeira consultora da empresa no estado, portanto não tinha apoio local. Mas comecei a conversar com as pessoas e acrescentei Nicole Cormany. Então formamos uma dupla. Acrescentei a conterrânea Bridget Cavanaugh, que tinha contatos no país inteiro. Não demorou para sermos um grupo de 10. Depois, 30. E a partir daí fomos crescendo exponencialmente. Morávamos nessa cidade lindíssima e construíamos nosso negócio não só em Bozeman e Montana, mas no país todo. O sul da Califórnia começou a crescer muito por causa de Tracy Willard, uma professora de Bozeman que era de Orange County e que Nicole trouxe a bordo. Spokane, no estado de Washington, começou a explodir com três futuras ganhadoras de carro e sua equipe, porque Josh, marido de Nicole, cresceu com Amy Byrd, que morava lá. Os tentáculos de Bridget chegaram a Denver, Jackson Hole, Dallas e à cidade de Washington, e essas equipes atingiram todo o país.

Com o passar dos anos e o crescimento da equipe, é claro que acrescentamos equipes imensas em grandes áreas metropolitanas dos Estados Unidos e agora do Canadá. Mas também vimos grandes histórias de sucesso vindas de cidades pequenas. Jessica Zuroff, uma das maiores líderes de nossa equipe, teve um início meteórico em seu negócio que não parou de crescer, e agora está no topo de nossa empresa. Ela mora em Hebron, Dakota do Norte. População: 747 habitantes. Tente dizer a Jessica que o tamanho é importante!

> Uma das maiores líderes de nossa equipe mora em Hebron, Dakota do Norte. População: 747 habitantes. Tente dizer a Jessica que o tamanho é importante!

Por outro lado, não acho que, só porque seu mercado tem muitos profissionais de marketing multinível, seja em sua empresa, seja em outras, isso vá afetar seu negócio. Algo que nossa equipe Bozeman nos ensinou é que há muito espaço para crescer, porque todo mundo tem redes e esferas de influência diferentes. É por isso que, em dado momento, havia três ganhadoras de carro morando no mesmo bairro de Bozeman, com uma quarta ganhadora a pouco mais de um quilômetro. É por isso que há quatro integrantes da equipe com imenso sucesso que começaram a vida na mesma escola fundamental de Amarillo, no Texas.

Lembro-me de quando fui à primeira convenção da empresa

– com apenas três meses no negócio e ainda muito crua – e me aproximei do então vice-presidente de Vendas, o grande e saudoso Chris Diaz, para me apresentar. Disse a ele que faria Montana ser tão grande que, um dia, ele seria forçado a sair da ensolarada Flórida e ir à tundra gelada para apoiar minha equipe. Ele soltou uma de suas grandes gargalhadas, que sempre terminavam com uma risadinha aguda, e disse, com o sotaque cubano: "Esses negócios não crescem muito em lugares como Montana."

Chris sabia exatamente o que estava fazendo. Ele reconheceu imediatamente que eu estava faminta, tinha uma ânsia enorme e adorava um desafio. Ao me dizer essa bobagem, ele sabia que jogaria lenha na fogueira e me faria correr ainda mais. Respondi: "Espere e verá. Vou fazer você montar um cavalo qualquer dia."

Nunca levei Chris a Montana nem o fiz montar. Ele teve câncer e faleceu cedo demais, deixando para trás uma linda família e os milhares de pessoas de nossa profissão que ele influenciou. Mas nunca me esquecerei do que ele cochichou para mim na noite em que recebi os dois maiores prêmios da segunda convenção da empresa, apenas um ano depois. "Eu sabia que você construiria isso. Eu sabia que você conseguiria. Sei que mulheres como você não acreditam em desculpas."

Também não quero que você acredite em desculpas. Nosso tempo aqui é muito curto. No fim de nossos dias, vamos querer olhar para trás e ver que fomos bravas e audaciosas ou que levamos uma vida de desculpas? Chris ficou famoso por ensinar a todas nós: "Você é excepcional e destinada à grandeza." Não deixe as desculpas atrapalharem.

Vamos querer olhar para trás e ver que fomos bravas e audaciosas ou que levamos uma vida de desculpas?

Todas essas histórias que você está inventando dentro da sua cabeça são um desperdício total de tempo e energia. Não passam de desculpas. Quando damos desculpas assim, na verdade temos medo de não ser boas o bastante nem dignas de grande sucesso. Quais são suas crenças limitantes sobre si mesma? De onde vêm? De antigos fracassos? Do que lhe disseram quando criança? Da candidata de ontem que disse que achava seu negócio uma burrice?

A verdade é que todas temos dentro de nós tudo o que é necessário para o sucesso. Mas, neste negócio, é preciso ter mais algumas coisas muito importantes. Fome. Disposição para ser absolutamente treinável e aprender como se faz. Persistência. Disposição para ficar pouco à vontade. E resiliência para continuar seguindo em frente mesmo diante do "não" e das frustrações.

É muito triste que muitos negócios fracassem antes mesmo de começar ou sejam impedidos de se tornarem a história de imenso sucesso que poderiam ser por causa das desculpas que nos damos. Quantas vezes você disse a si mesma que não conseguiria fazer algo que incontáveis pessoas conseguem?

Toda vez que você dá uma desculpa, põe outro bloco de cimento nos muros que constrói à sua volta. A cada desculpa, você se fecha em uma prisão de mediocridade criada por você mesma e se condena a uma vida que na verdade não quer. Estar nessa caixa pode dar segurança, mas, com o tempo, o que vai estar aí com você é muito arrependimento, vergonha e solidão.

O que aprendi trabalhando com milhares de pessoas de várias origens, habilidades e personalidades é que podemos vencer as vozes negativas e ver as bobagens como o que são: apenas um monte de lixo. Podemos largar os blocos de cimento, deixar a luz entrar e aumentar nossas possibilidades. Podemos parar de nos atrapalhar, entrar no negócio de construir nosso futuro e alcançar nossa grandeza.

Capítulo 12

O CARMA É UMA DROGA SE VOCÊ TAMBÉM FOR

Eu não poderia escrever um livro sobre a construção de um negócio que lhe trará a vida dos seus sonhos sem incluir um capítulo sobre como jogar limpo com os outros. Porque algumas pessoas não jogam limpo. Elas transformam esta profissão divertidíssima e colaborativa em algo nada divertido e fazem todo mundo se sentir mal. Não quero que você seja uma dessas.

Saiba que a intenção de tratar essa questão aqui não é punir nem assustar ninguém. Na verdade, esse tipo de conduta, pelo menos em minha experiência pessoal, é a exceção, não a regra. Como sempre prefiro dar aos outros o benefício da dúvida, suponho em primeiro lugar que esses lapsos de avaliação ocorrem porque as pessoas não sabem que não deveriam agir assim. Portanto vamos falar do básico de como devemos nos tratar e tratar nosso negócio para proteger todo mundo, e então todas saberemos o que fazer.

Comecemos com a Regra de Ouro, encontrada em quase todas as culturas e religiões humanas: trate os outros como gostaria que a tratassem. Além de ser um jeito ótimo de viver, esse deveria ser o princípio condutor de nosso negócio. Se isso não bastar para fazer você tratar todo mundo bem, que tal o princípio do carma? O que oferecemos ao mundo é o que recebemos de volta. Nosso negócio exige que a gente assuma nossa grandeza, e ajudar e inspirar os outros é assumir a grandeza deles também. Como este é um negócio de duplicação e tudo o que fazemos se duplica, você gostaria de duplicar gentileza, generosidade, profissionalismo e atitudes éticas, certo? Não é disso que você quer se cercar? Sei que eu quero.

E se você esbarrar nos outros?

Vai acontecer em algum momento. Você conversa com alguém que já está conversando com outra consultora em sua empresa. Se descobrir que a pessoa com quem está conversando já ouviu falar de sua empresa, faça o que é certo e se afaste dela. Conte que este trabalho é ótimo, que os produtos ou serviços são maravilhosos e que ela deveria se esforçar para entrar em contato com a outra consultora. Não importa se você a conhece ou não, se gosta dela ou não. Não analise, não racionalize nem intelectualize. Apenas se afaste. Porque é exatamente o que você gostaria que fizessem por você.

> Se descobrir que a pessoa com quem está conversando já ouviu falar de sua empresa, faça o que é certo e se afaste dela.

Mesmo que a consultora com quem a pessoa já falou esteja em sua *upline*, imploro a você que não acredite na porcaria da racionalização de que não há problema em ignorar as conversas anteriores porque você está na equipe dela e isso também a beneficia.

Estou aqui para lhe dizer, irmã: nós nos importamos. E somos capazes de descobrir se faz sentido pôr uma candidata nossa como cliente ou parceira de negócios subordinada a você. Além disso, é assim que você gostaria de ser tratada por sua equipe, não é?

Se você se afastar da pessoa, mas ela disser que não quer comprar nem trabalhar com a outra, então o que você vai fazer não é tão preto no branco. Se a candidata não tiver nenhum relacionamento com a outra consultora, mas, por exemplo, tiveram uma conversa por mensagem do Facebook um ano atrás e não houve continuidade, você pode se sentir à vontade para continuar a discussão.

Se a candidata com quem você está conversando tiver uma relação em andamento com outra consultora de sua empresa, mas não se sente à vontade para construir com ela uma relação profissional, então sugiro passar para a candidata a responsabilidade de conversar com a outra antes de continuar. Peça a ela que diga à outra consultora que decidiu estabelecer uma relação de trabalho com outra pessoa e dê razões autênticas. Já ouvi de muitas integrantes da minha equipe que pôr o ônus na candidata seria arriscado, uma vez que ela talvez não queira ter uma conversa desagradável e então decida não entrar no negócio. Acredito, e a experiência comprova, que, se a candidata não estiver disposta a ter uma conversa franca e profissional com a outra consultora, na verdade ela não tem coragem de montar este negócio nem respeito por você para manter tudo em pratos limpos e começar um relacionamento com o pé direito.

Às vezes, alguém que você não conhece e que não é sua amiga nem no Facebook pode entrar em contato do nada para falar sobre sua empresa. Essa é uma surpresa fabulosa e divertida! Sempre pergunte à pessoa como soube de nossa empresa e nossos produtos para ajudá-la a descobrir se houve conversas anteriores e pessoas a quem você deve devolvê-la. No entanto, vou lhe avisar que as perguntas certas nem sempre levam à verdade. Portanto, nesses casos, siga o que sua intuição lhe disser que é certo.

É quando ignora sua intuição que você arranja problemas. Vou lhe contar de quando não escutei a minha e tomei uma péssima decisão. Aprenda com meu erro terrível de avaliação.

> É quando ignora sua intuição
> que você arranja problemas.

Anos atrás, entrou em contato comigo uma candidata que estava dando uma olhada em nossa empresa e me disse que havia feito muita pesquisa e queria ver como era trabalhar comigo. Quando conversamos pela primeira vez, ela me disse que ouvira falar de mim por uma ligação de informações sobre nossa empresa que gravei e que ela viu postada em meu mural no Facebook. Perguntei se ela estava conversando com alguém que trabalhava em nossa empresa, e ela disse que não. Nas conversas seguintes, descobri que ela havia sim conversado com outra consultora, mas a candidata afirmou que não tinha se identificado com sua personalidade. Segui minha regra e pedi que voltasse à outra consultora para avisar que não criaria um relacionamento de trabalho com ela. Quando retornou a mim, a candidata disse que tinha feito o que eu pedira, e continuamos nossa conversa.

Então – e aí eu deveria ter lhe dito, educada e respeitosamente, que entrasse na equipe da outra pessoa e lhe desejado sorte – ela me disse que vinha conversando com outra consultora, mas que não se uniria a ela porque tinha "problemas" com o namorado dessa pessoa.

Admito: ela me pegou pelo coração com a história do que acontecia em sua família, de que estava disposta a trabalhar, de que seria treinável, de que precisava muito desta oportunidade, que as outras não combinavam nada com ela e que eu era a única com quem ela montaria um negócio em nossa empresa. Mas aí é que está: se eu estivesse pensando com meu cérebro comercial, afinada com aquele nozinho levemente desagradável na boca do estômago, em vez de pensar que eu poderia "salvar" aquela mulher, o que aconteceu depois não teria acontecido.

No fim das contas, as duas outras consultoras com quem ela falou eram da minha equipe. A candidata não havia deixado claro às duas por que não queria entrar para a equipe delas. E não me disse que fora através de uma delas que ouvira minha ligação com informações. E essa integrante de minha equipe, como muitas outras, usava a gravação para ajudar a fechar negócio com as candidatas e fazer sua equipe crescer. Mas fui eu que a inscrevi. Droga.

O resultado foi o caos. As *uplines* das duas consultoras, que eram colegas e amigas valiosas, ficaram danadíssimas comigo. As demais integrantes da equipe perderam a confiança e o respeito por mim porque inscrevi uma mulher que, na verdade, havia conversado com duas outras integrantes da equipe antes de me procurar.

Agora, você pode dizer que, com base nos fatos que eu conhecia, segui as regras éticas de 1) fazer perguntas e 2) mandar de volta, então tudo bem. Mas não. Falhei com todo mundo por não pesquisar o suficiente sobre as outras pessoas com quem a candidata havia conversado, de modo a descobrir a verdade. Isso aconteceu porque ignorei aquele nozinho levemente incômodo na boca do meu estômago. Essa mulher estava conversando com muita gente para estar realmente disponível, e minha intuição tinha percebido isso. Embora você possa argumentar que ela estava disponível, é inegável que era volúvel e irresponsável e que não seria uma boa candidata. Eu deveria ter me perguntado: "Se ela fosse um homem e se essas outras consultoras fossem mulheres com quem ele estivesse se relacionando, você sairia com ele?" Pior ainda: "Se você fosse parente dessas outras mulheres, sairia com ele?" A resposta seria um inequívoco "Não, de jeito nenhum".

Acontece que a mulher não era persistente nem treinável e acabou não fazendo nada. Não valia o tempo, a energia, minha angústia nem a angústia que causou nas outras. Além de prejudicar amizades que eu tinha desenvolvido havia anos, esse também foi um negócio burro. Desde então, tenho a regra rígida de nunca trazer diretamente ninguém que me procure e que já tenha conversado com alguém de nossa equipe, por mais que minha tentativa de mandá-la de volta se frustre. Não vale a pena. Aprendi que as pessoas volúveis e irresponsáveis de nosso funil montam negócios volúveis e irresponsáveis, ou seja, não crescem. Lembre-se, tudo se duplica. Todas trabalhamos muito para construir com nossa equipe relações baseadas em confiança e respeito, mesmo com quem não conhecemos pessoalmente, e uma decisão burra pode pôr boa parte disso a perder. Mesmo que essa mulher tivesse construído algo imenso, não teria valido a pena.

Local é melhor

Meu sangue ferve sempre que ouço dizer que uma consultora disse à candidata de outra pessoa que só terá sucesso se entrar numa equipe local. Todas sabemos que essa história de "entrar numa equipe local" é bobagem, mas acontece muito em todas as empresas. Acontece porque a pessoa que apresentou a candidata ao negócio mora em outra cidade, outro estado ou até outro país, e uma consultora local quer furtar a candidata. E aqui estão algumas coisas que tenho que dizer sobre isso:

- Se você acredita que local é melhor, então seu negócio deveria se restringir apenas à sua cidade ou área circundante, onde

você possa se encontrar pessoalmente com as integrantes de sua equipe. Mas aí você não aproveita ao máximo nosso comércio social, que aniquila as limitações geográficas. E ainda por cima não é uma empreendedora pronta e bem informada da era digital.
- Essa "estratégia" é 100% contra a cultura de apoio e colaboração, que é uma das melhores partes de nossa profissão. Sou completamente apaixonada pelo incentivo e pela abundância que vêm não só da nossa própria equipe, mas também de consultoras da empresa inteira e até de líderes de outras empresas. Não consigo nem pensar em voltar aos dias de guerra na advocacia ou nas relações públicas. Mas essa "estratégia" ameaça esse Éden, e isso me irrita muito.
- Arrancar alguém de um patrocinador distante para que se inscreva localmente ou criar o medo de que a pessoa não será aceita ou apoiada vai contra o Código de Ética de nossa empresa e, provavelmente, contra o da sua também. Garanto que se você começar com essa história, vai acabar levando uma rasteira dela quando quiser crescer a distância. Carma, querida.

Siga a etiqueta das reuniões e dos eventos

Todas comparecemos a eventos, como apresentações de negócios, encontros centrados em produtos, entre outros. Nesses eventos, lembre-se de que está cercada de pessoas e pressuponha que uma ou mais dessas pessoas vão ouvir tudo o que sair de sua boca. Portanto, aqui está a Regra de Ouro dos eventos: antes de abrir a boca, pergunte-se se gostaria que uma de suas candidatas ou integrantes de sua equipe ouvisse o que vai dizer.

> Antes de abrir a boca, pergunte-se se gostaria que uma de suas candidatas ou integrantes de sua equipe ouvisse o que vai dizer.

Em eventos, eu mesma já ouvi consultoras se queixando de convidadas que cancelaram, clientes que abandonaram a recompra automática de produtos e outras declarações negativas. Você acha que suas candidatas adorariam se juntar a você no negócio se ouvissem alguma de suas colegas dizendo isso? Regra de Ouro, gente.

Então há a horrorosa história do "quem é local é melhor". Em sua empresa, como na nossa, é comum as consultoras enviarem candidatas a eventos em outros mercados. Essas pessoas deveriam se sentir bem-vindas e acolhidas, como se fizessem parte de uma comunidade local, mesmo que sua *upline* more em outro lugar. Mas ouvimos falar de abordagens furtivas em reuniões quando a *upline* não está lá. Isso é nojento e muito errado. Há tanta gente no mundo que poderia ser sua cliente e parceira de negócios. Não é preciso roubar o trabalho duro dos outros, não acha? Carma, gente.

Não invente

Quando falar sobre seu negócio e seus produtos ou serviços, seja real sobre o que é real. Diga o que é preciso para construir. Que não dá para enriquecer depressa. Não embeleze suas estatísticas nem as da empresa. Não edite fotos de antes e depois, nem, pelo amor de Deus, roube as fotos de outra empresa. Se não tiver todos os fatos sobre a história de sucesso de alguém ou sobre a eficácia de um produto, diga o que sabe e só o que sabe. Você será muito mais útil às candidatas se disser que precisa procurar a informação que elas pediram do que se inventar alguma mentira.

Não suponha que, só porque uma colega postou alguma coisa, essa coisa é verdadeira. Quer dizer, até parece que nunca publicaram mentiras nas redes sociais, né? Portanto, não compartilhe nada às cegas só porque alguém postou. Pare e confira, com a intuição e com o bom senso. Se algo não parecer correto, investigue ou use o zilhão de outras coisas fabulosas que você pode postar, compartilhar, tuitar e marcar em seu Pinterest. Portanto, quando tiver alguma dúvida, confira com o departamento de compliance ou de marketing da empresa.

Não poste insinuações de endosso de celebridades a seu negócio ou a seus produtos, a menos que a celebridade tenha um contrato com sua empresa ou seja cliente sua ou de uma parceira de negócios e você tenha permissão para usá-la em seu marketing. Eu acho graça de todos os posts espertinhos, mas ridículos, que circulam por aí sugerindo que Oprah, Ryan Gosling ou Bill Gates aplaudem nossos produtos ou nosso negócio. Quando faz isso, você se expõe e expõe a empresa a ser processada pela celebridade. E aí, não é bom eu ter feito faculdade de direito?

Mesmo que você tenha feito alguma dessas coisas, vou lhe contar o que John e eu dizemos a nossos filhos quando fazem algo que não deveriam. Só porque você fez essa merda (sim, falamos palavrão na frente de nossos filhos), você não é uma má *pessoa*. Você só teve um mau *comportamento*. Mas agora, que sabe a diferença, fará escolhas melhores no futuro. Cada erro é uma oportunidade de aprender e crescer. E cada dia oferece oportunidades maravilhosas para tomar boas decisões que ajudam os outros a estimular outras pessoas e que fortalecem você e seu negócio.

Se tiver alguma dúvida, eis o que fazer. As crianças têm uma ótima noção de certo e errado. Portanto, procure uma criança entre 5 e 13 anos, que pode ser filho, filha, neto, sobrinha, sobrinho ou vizinha, explique a situação e o que planeja fazer. Sem editar. Sem dourar a pílula. Sem dar desculpas. Apenas os fatos. Veja se passa pelo "mentirômetro" da criança. Se tiver vontade de disfarçar, editar ou dar desculpas, você já sabe que a situação não passa pelo seu próprio crivo.

Faça o que é certo, senão o carma vai te pegar. Tome boas decisões. Agora você já sabe como deve ser.

Capítulo 13

SEU TEMPO VALE MUITO

No próximo capítulo, vou dizer que você tem que cuidar de si mesma enquanto constrói seu império. Talvez tenha que acrescentar algumas coisas à sua vida. E isso vai irritá-la. Portanto, antes de chegar lá vou explicar como encontrar mais tempo em seu dia, sua semana e seu mês – para que você possa usar esse tempo extra com os cuidados pessoais necessários para ser a CEO de seu negócio e de sua vida. Vou ajudá-la a ser mais eficiente.

O tempo é nosso recurso mais valioso

Antes de termos uma conversa cativante sobre eficiência, é preciso entender quanto seu tempo realmente vale. Primeiro, você precisa se decidir sobre dois números:

1. Quanto você quer conseguir ganhar por ano com seu negócio? Não se limite ao que quer receber no mês que vem ou no ano que vem. Estou falando de números grandes. Em que você quer que este negócio se transforme?

2. Quantas horas por semana você quer trabalhar? Não estou falando do que você acha que *tem* que trabalhar. Você precisa ser franca sobre quantas horas *quer* trabalhar todas as semanas em seu negócio.

Depois que fui à primeira convenção de nossa empresa e comecei a entender de fato em que havia me metido, passei a pensar em meus números. Eu queria ganhar 1 milhão de dólares por ano e trabalhar 20 horas por semana. Estava sonhando grande. Na época, a empresa era tão jovem que não havia os pontos de prova de sucesso que existem agora. Não havia o bônus do carro nem gente ganhando valores na casa do milhão, muito menos quem ganhasse 5 milhões de dólares. Mas pensei: ora bolas, vou tentar alcançar as estrelas.

Como sempre trabalhei em profissões remuneradas por hora de serviço, quis descobrir quanto valia meu tempo. No começo de todos os negócios, trabalhamos muitas horas pela promessa de um grande retorno. Mas eu não queria me concentrar na realidade deprimente do que estava ganhando por hora investida na época. Em vez disso, quis saber quanto valia meu tempo – minha hora de serviço, se preferir – com base no que eu queria ganhar.

Eis meus cálculos na época:

20 horas por semana × 52 semanas = 1.040 horas por ano
US$ 1 milhão / 1.040 horas por ano = US$ 962 por hora

Cada hora de meu tempo valia 962 dólares! Isso transformava em pó meu preço por hora como advogada ou assessora de relações públicas. Você acha que isso teve impacto no modo como eu usava meu tempo? Pode acreditar que teve!

À medida que minhas metas mudavam – quanto eu queria ganhar e quanto disso seria trabalhando em nosso negócio –, fui recalculando, e tenho clareza cristalina do valor de meu tempo por hora. Isso me ajuda a continuar escolhendo bem onde emprego meu tempo e a avaliar até que ponto sou eficiente. Enquanto escrevo isto, cada hora de meu tempo, com base em minha meta atual de filantropia, vale 3.846 dólares. Você acha que isso me motiva a continuar trabalhando com mais eficiência, sem desperdiçar meu tempo? Pode acreditar que sim.

Antes de continuarmos, pare e calcule seus números.

> ### Entre em ação
>
> Pense direitinho no que quer que esse negócio crie para você e sua família. Depois use esses números para encontrar o valor de cada hora de seu tempo. Quando tiver os números, escreva-os abaixo.
>
> _____ horas por semana × 52 semanas = _____ horas por ano (renda anual) / _____ horas por ano = R$ _____ por hora
> Cada hora de meu tempo vale R$ _____

Espero que você esteja pensando: "Uau, sou o máximo!" Porque é mesmo. Ou está para ser. Seja como for, vamos ficar mais espertas sobre como usamos o tempo.

Depois de tudo o que passei e aprendi nos últimos anos como mãe, empreendedora e um ser humano muito ativo, eu poderia escrever um livro inteiro sobre como gerenciar melhor o tempo em seu negócio e sua vida para realmente viver por completo. Se você gostar muito deste livro, talvez eu até escreva outro. Mas quero lhe dar uma versão resumida de maneiras simples de arranjar mais tempo.

Controle seu horário de trabalho

Talvez você já tenha ouvido dizer que, para construir um negócio bem-sucedido de marketing multinível, é preciso determinar seu Horário de Funcionamento – em que horário você trabalha em seu negócio, todos os dias e todas as semanas. Nos primeiros cinco anos, até ensinei isso. Mas nunca consegui fazer dar certo nem levar ninguém a seguir esse horário. Por quê? Porque Horário de Funcionamento é uma bobagem total.

Desde que comecei meu negócio, não tive duas semanas seguidas que fossem iguais. As crianças adoecem. A máquina de lavar inunda a casa. Um projeto urgente no emprego cai em seu colo. Toda semana é diferente, e nem o dia de amanhã pode ser como você planejou. Estou certa? Então esqueça o Horário de Funcionamento rígido.

Em vez disso, vou lhe mostrar o sistema simples que utilizo para assegurar que você compareça de algum modo todo santo dia a seu negócio, apesar de tudo o que tem que fazer.

Primeiro, ponha num lugar só tudo o que tem que fazer. Pode ser uma agenda física à moda antiga ou uma agenda on-line; tudo tem que ir para lá. Isso inclui o cronograma e as tarefas do emprego formal, seu negócio de marketing multinível, os encontros pessoais, as responsabilidades familiares, as atividades físicas, os eventos sociais, etc. Se você não costuma agendar tudo isso religiosamente, crie esse hábito agora mesmo. A vida das CEOs de impérios em crescimento dá certo porque elas agendam tudo.

A vida das CEOs de impérios em crescimento dá certo porque elas agendam tudo.

Em segundo lugar, em vez de estabelecer seu Horário de Funcionamento e segui-lo, eis o que você vai fazer: todo domingo à noite, reserve 15 minutos para sua agenda e mapeie a próxima semana. Olhe tudo o que precisa fazer que já está lá, as coisas que não são negociáveis nem adiáveis.

Em terceiro lugar, identifique bolsões de tempo que dedicará à sua prospecção pessoal. Lembre-se: se não se pagar primeiro, seu negócio não vai crescer. Esse tempo é sagrado e não deve ser usado para mais nada. Em seguida, marque quando você estará disponível para ligações triangulares e telefonemas curtos de treinamento de sua equipe. Por fim, prepare sua lista 5-3-2 para segunda-feira (as cinco novas pessoas com quem fará contato, as três com quem retomará o contato e as duas integrantes da equipe que vai procurar).

O que muitas consultoras que também são mães e/ou esposas descobrem (e eu me incluo nisso) é que é impossível controlar nossa agenda num sistema bem azeitado sem coordenação com o marido. É por isso que, anos atrás, John e eu começamos a fazer as "reuniões de tráfego", como chamamos, para coordenar os horários um do outro e equilibrar responsabilidades. Gostamos de fazê-las na noite de domingo, antes de definirmos nossas agendas pessoais. São 15 minutos que reduzem o estresse, os erros de comunicação e as frustrações e nos transformaram numa equipe. E isso nos ajudou a garantir que as crianças são buscadas em suas atividades. Juro que esquecemos Bebe na aula de balé só uma vez. Mas ela ainda usa isso para nos provocar culpa.

Então, todos os dias, antes de dormir, reserve cinco minutos para dar uma olhada na agenda do dia seguinte. Você será capaz de fazer mais alguns malabarismos se necessário, saberá com clareza o que o dia seguinte lhe trará e montará sua lista 5-3-2.

Portanto, 15 minutos na noite de domingo, cinco minutos todas as outras noites. Comprometa-se com esse sistema durante um mês e, juro, você sentirá que está administrando proativamente seu negócio, em vez de apenas reagindo a ele.

Sua lista do que não fazer

Se está achando difícil encontrar tempo para a prospecção pessoal, então você está fazendo alguma outra coisa em excesso. Na bíblia dos negócios, *Empresas feitas para vencer*, Jim Collins afirma que a "Lista de coisas a não fazer" é tão importante ou, como para muitas de nós, *mais importante* do que a "Lista de coisas a fazer". Incentivo você a anotar tudo o que fizer em seu negócio durante uma semana e quanto tempo dedicou a essas atividades. E quero dizer tudo mesmo. Seja precisa e franca, porque é a única maneira de alcançar suas metas.

> Se está achando difícil encontrar tempo para a prospecção pessoal, então você está fazendo alguma outra coisa em excesso.

Quando está desenvolvendo uma organização que começará a ter vida própria, acredito com todas as forças que a consultora deve dedicar pelo menos 85% a 95% de seu tempo à prospecção pessoal, ao treinamento de novatas que sejam treináveis e responsivas e a ligações triangulares com a equipe. Essas são as atividades centrais necessárias para montar o negócio. Tudo o que aprendi sobre esta profissão comprova que, para construir algo significativo, você precisa mesmo dedicar de 10 a 15 horas por semana, com perseverança. Portanto, se não for capaz de dedicar pelo menos oito horas e meia por semana para as atividades essenciais produtoras de renda (APRs), ou seja, à prospecção, ao treinamento de novatas e a ligações triangulares, você terá que cortar outras coisas que está fazendo.

Quanto tempo você passa jogando conversa fora com integrantes da equipe em vez de estar fazendo ligações de treinamento muito curtas e objetivas nas quais fala sobre os desafios atuais de cada uma no negócio? Quanto tempo passa repetindo os mesmos conceitos a suas parceiras de negócios, pensando que, se explicar a importância da persistência nos contatos só mais uma vez, elas vão começar a pegar o telefone depois de seis meses sem ter feito nada? Pode ser mais fácil ter essas conversas do que aquelas que você precisa ter com clientes e parceiras de negócios em potencial. Mas esse desperdício de tempo não fará seu empreendimento crescer.

Quanto tempo você passa rolando a tela no Facebook, achando que está praticando APRs? Ajuste o alarme do telefone para cinco minutos. Entre, faça a postagem que precisa fazer, comente a postagem de cinco pessoas para ter mais visibilidade em suas páginas iniciais, diga oi a duas integrantes da equipe e saia. Quando o alarme de cinco minutos soar, acabou.

Ao terminar de escrever cada mínima atividade de negócios que você praticou (ou acha que praticou) durante uma semana, você terá uma boa ideia do que não lhe serve. Pare de fazer essas coisas e aproveite seu valioso e precioso tempo para se concentrar naquilo que realmente aumentará sua renda.

As ligações de treinamento precisam ter um propósito

As sessões de treinamento podem consumir um tempo enorme se você e sua consultora não começarem a ligação com uma ideia clara do que será tratado. Depois que uma integrante da equipe cumpre os primeiros 30 dias, os quais marcam o fim da fase de "novata", ofereço a ela 15 minutos semanais ou quinzenais de POWERShots ("doses de poder", um nome ótimo para nossa equipe Powered by You, ou "movida por você") para tratar de tópicos específicos e predeterminados.

Todas as integrantes da equipe têm que responder a um questionário de treinamento e me entregar algumas horas antes da ligação. Ele inclui as seguintes perguntas, projetadas para entender de que modo estão trabalhando em seu negócio, como gastam seu tempo e quais desafios precisamos discutir:

- Com quantas pessoas novas você entrou em contato na semana passada?
- Quantas ligações triangulares você levou à sua *upline* na semana passada?
- Quantas ligações triangulares lhe foram levadas na semana passada?
- Você tem o nível de atividade que queria? Se não, explique por quê.

Então peço que listem os três tópicos que desejam discutir durante a ligação.

Esse sistema, além de permitir telefonemas produtivos e eficientes, também exige que a consultora reflita sobre sua atividade pessoal. Ficou bem mais fácil para mim diagnosticar os problemas e ajudar as integrantes da equipe a consertá-los. Se a consultora some sem avisar e não há nenhuma emergência, adiamos as sessões até que ela se disponha a tratar isso como um negócio e a respeitar meu tempo. E, quando uma integrante da equipe não faz contato com pelo menos 15 pessoas por semana durante mais de duas sessões, suspendemos o treinamento até que ela se disponha a dedicar seu tempo a conversar com gente suficiente para crescer.

Sou durona nisso? Sou, sim. Mas eu sei quanto vale meu tempo, e só gente muito dedicada faz por merecê-lo. Se a pessoa não for muito dedicada, sei que nossa empresa já oferece recursos e treinamento gerais mais do que suficientes para ela alcançar suas metas. Espero que você também entenda as virtudes de ser durona.

> Eu sei quanto vale meu tempo, e só gente muito dedicada faz por merecê-lo.

Trabalhe com seu corpo, não contra ele

Cada uma de nós tem uma fisiologia própria que dita quando temos mais energia. É importante conhecermos nosso biorritmo e trabalhar com ele, não contra ele. Por exemplo, não sou matutina. Em geral, só depois das 8h30 da manhã estou envolvida e envolvente. E, das 16h30 às 17h30, sou imprestável para qualquer coisa que exija criatividade ou foco e disciplina. Em vez de tentar combater isso, trabalho com isso.

É por essa razão que nunca faço prospecção nem marco ligações triangulares nesses horários. Em vez disso, uso os momentos de menor energia para fazer algo que não me exija ser cativante nem inspiradora. Sou uma bola de fogo das 10h às 14h30, e novamente das 20h às 21h. Você vai ter vontade de ficar em meu campo energético nessas horas, pode acreditar. Portanto, esse é meu horário nobre para a prospecção.

Incentivo você a examinar em que momentos está reservando tempo para a prospecção, de modo que não seja na hora em que está em seus momentos naturais de baixa.

O toque pessoal não precisa ser pessoalmente

Não faça pessoalmente nada que possa ser feito por meio de um telefonema ou uma chamada de vídeo. Eu costumava pensar que, se inscrevesse uma nova parceira de negócios que morasse na mesma cidade que eu, a primeira sessão de treinamento teria que ser presencial.

Com o tempo, descobri que não importava onde elas moravam e que não havia diferença entre as colaboradoras que eu treinava frente a frente e as que eu treinava por telefone. Aquelas parceiras que treinei de forma presencial e que não eram motivadas, famintas e treináveis não deram em nada, ao passo que uma parceira a três fusos horários de distância que treinei por telefone conseguiu duas parceiras de negócios nos primeiros 15 dias. Treinar por telefone poupa a todas o tempo de deslocamento e mostra à nova parceira de negócios que ela pode treinar integrantes da equipe em outras cidades ou países, usar seu tempo com eficiência e não acreditar em limitações geográficas.

Também vi muitas consultoras desacelerarem seu crescimento por acharem que precisam se encontrar com todas as candidatas de sua cidade. Logo aprendi que é importante classificar até que ponto a pessoa está interessada em saber mais sobre meu negócio e meus produtos *antes* de pensar se devemos ou não nos encontrar pessoalmente. As conversas iniciais sobre o negócio devem ser breves – de 10 a 20 minutos, no máximo –, e é um uso muito mais eficiente do valioso tempo de todas tê-las por telefone. Se a candidata quiser discutir mais detalhes pessoalmente depois, recomendo incluir uma ligação triangular nesse encontro cara a cara ou se encontrar depois da ligação triangular se você não conseguir fechar com ela naquele momento.

Você é ocupada. As pessoas com quem está conversando são ocupadas. Portanto, mostre às suas candidatas como este negócio é simples de encaixar em sua vida já tão cheia e louca e que não há limitações geográficas para o crescimento.

Não se distraia

Vivemos numa época em que as distrações nos bombardeiam o tempo todo. Alertas, notificações, mensagens. É só observar um adolescente tentando fazer o dever de casa e você verá que a tecnologia, com todas as suas virtudes, tornou dificílimo se concentrar numa tarefa do começo ao fim. Então some tudo isso às distrações que acompanham o trabalho em casa: o cachorro, a roupa para lavar, os filhos e a geladeira. Se não aprender a ser disciplinada, tudo isso pode ocupar o tempo que você tem para montar seu negócio.

Algumas dicas:

- Verifique o e-mail que usa para seu negócio apenas três vezes por dia. Seja o que for, pode esperar algumas horas. Use mensagens instantâneas para questões mais urgentes e peça à sua equipe que faça o mesmo. Se algo não precisar de atenção na próxima hora, não é urgente.
- Verifique o Facebook ou o Instagram no máximo três vezes por dia. A não ser que esteja fazendo algum tipo de campanha na rede social que lhe exija responder em tempo real, você não vai perder nada importante em algumas horas. Quando entrar nas mídias sociais, ajuste o alarme do celular para cinco ou 10 minutos. Quando tocar, você sai e retoma os outros aspectos fundamentais de seu negócio.
- Quando estiver na hora de sua prospecção pessoal, feche

todos os programas e aplicativos que não sejam necessários para a chamada. Assim, você pode se concentrar no telefonema e passar imediatamente ao próximo sem se distrair.
- Desative as notificações. Quando não estou ativamente no e-mail nem nas redes sociais, não quero ser distraída por notificações. Eu me conheço, e a tentação de dar uma olhada é simplesmente grande demais. Por isso desativo todas as notificações.

Multiplique seu tempo

Não estou falando de ser multitarefa, que é quando fazemos duas ou mais coisas ao mesmo tempo. Trata-se de uma característica que se tornou muito valorizada na atualidade. Pesquisas mostram, porém, que ser multitarefa nos torna muito menos eficientes do que todas gostamos de acreditar e pode até ser prejudicial à saúde. Embora gostemos de pensar que somos como a Mulher Maravilha, na verdade nosso cérebro tem uma capacidade limitada de atenção e produtividade. Quando realiza duas atividades ao mesmo tempo, a não ser que uma delas seja automática, como dobrar a roupa lavada ou caminhar, você nunca estará totalmente imersa em nenhuma delas. E se tentar equilibrar três ou mais coisas ao mesmo tempo, esqueça. Não fará nenhuma delas com excelência.

Sei que a multitarefa aumenta meu estresse e eleva a ansiedade por tentar dar conta de muita coisa ao mesmo tempo.

Mas um estudo de Stanford feito em 2013 mostra que combinar atividades pode nos ajudar a alcançar nossas metas sem nos esgotar. Usar "multiplicadores" é fazer uma coisa que cumpre várias metas diferentes em vez de fazer várias coisas ao mesmo tempo. [Bixler Clausen, L., "'Multipliers' are key to rethinking time", ou "Multiplicadores são a chave para repensar o tempo", em tradução livre. Disponível em inglês na página: http://gender.stanford.edu/news/2013/multipliers-are-key-rethinking-time#sthash.DZhxBZYM.dpuf, 18 de novembro de 2013.]

> Combinar atividades pode nos ajudar a alcançar nossas metas sem nos esgotar.

No meu caso, gosto de ler e responder a e-mails e mensagens do Facebook quando meus filhos estão fazendo o dever de casa. Eles ficam contentes porque estou ali, consigo supervisionar o que estão fazendo e responder a suas perguntas, e também consigo deixar minha caixa de entrada limpa. Escuto ligações de treinamento enquanto faço exercícios aeróbicos. Faço ligações triangulares enquanto cozinho ou guardo a roupa limpa (a maldita roupa outra vez; por que as crianças não usam nada duas vezes?). Observe que não estou sugerindo que você realize atividades de negócios enquanto opera máquinas pesadas, como um carro.

Entre em ação

Pense nas diversas maneiras de pôr isso em prática. Encontre pelo menos três multiplicadores que possa implementar.

Também é muito útil agrupar atividades semelhantes. De acordo com muitos estudos, ir e vir entre várias tarefas provavelmente leva mais tempo do que se terminássemos cada uma separadamente.

Portanto, direcione seu foco ininterrupto para cada tarefa que exija uma mentalidade específica e, assim que entrar no fluxo, fique ali até terminar. É por isso que marco três ligações triangulares uma após outra, ligações de treinamento uma após outra, respondo aos e-mails todos de uma vez e dedico blocos de tempo à prospecção pessoal.

Você está agrupando atividades semelhantes em sua agenda? Se não estiver, desafio você a criar o hábito de fazer isso para evitar os pequenos desgastes de tempo que acontecem toda vez que você tem que pular daqui para ali entre tarefas. Além de ficar mais eficiente, você também se sentirá menos cobrada, exigida e agitada.

> Você está agrupando atividades semelhantes em sua agenda? Se não estiver, desafio você a criar esse hábito.

Pronto, achei mais algum tempo para você.

Então vamos virar a página e conversar sobre como cuidar de si mesma. Porque não se pode construir uma imensa organização sem cuidar da pessoa mais importante: VOCÊ.

Capítulo 14

CUIDE DE VOCÊ PELO CAMINHO

Uma das dádivas mais valiosas deste negócio é que ele dá liberdade a quem tiver coragem e garra para construí-lo. Liberdade de trabalhar onde quisermos, quando quisermos, com quem quisermos. Liberdade de ganhar quanto quisermos. Liberdade de assoviar e chupar cana.

Mas aprendi do jeito mais difícil que, se você não cuidar de si mesma ao longo do caminho, além de não construir tão depressa, não estará tão saudável, feliz e realizada quando alcançar suas metas.

Sei disso por experiência própria. Quando aposentei John do atendimento no consultório médico, na marca dos dois anos e meio, eu estava um caco. Vivia exausta; nunca me sentia totalmente presente; ficava irritada à toa; estava com 5 quilos a mais porque comia para aliviar o estresse; e não era tão eficaz quanto gostaria em nenhuma das áreas de minha vida.

Eu tinha que fazer mudanças. Tinha que cuidar de mim se quisesse que o negócio crescesse o máximo possível e se quisesses ser uma pessoa saudável, boa mãe, boa esposa e um bom ser humano. Eu queria muito aproveitar essa coisa incrível que estava acontecendo comigo, com nossa família e com nossa equipe.

Eu queria tudo. Saúde física, espiritual e emocional. Relacionamentos significativos. Um negócio de sucesso. Diversão e espontaneidade. Eu já tinha a parte do negócio de sucesso, mas, para ter as outras coisas, precisaria aprender a cuidar melhor de mim e viver com mais equilíbrio.

Não me entenda mal; faz tempo que abandonei o mito de que é possível ter tudo ao mesmo tempo. Pelo menos para as mães que trabalham, não acho que seja possível alcançar o equilíbrio absoluto todos os dias. Ainda pode ser muito difícil para mim conseguir esse equilíbrio todas as *semanas*. Mas o meu objetivo era ter uma vida que, *de modo geral,* tivesse tudo. Depois que libertamos John do consultório, comecei a dar prioridade a cuidar melhor de mim. Eu sabia que isso, por sua vez, me ajudaria a cuidar melhor da família, dos relacionamentos e também do negócio.

Foi preciso que eu trabalhasse minha mente, meu corpo e meu espírito. Também tive que fazer um esforcinho extra para implementar alguns sistemas dos quais eu precisava loucamente para me ajudar. Meu livro sobre como usar esta profissão para construir a vida dos seus sonhos seria incompleto se eu não lhe mostrasse como fazer isso também. Mas você precisará investir algum tempo em você, assim como eu dediquei – e ainda dedico – tempo a mim.

Você leu direito. Depois de vários capítulos mostrando todo o trabalho necessário para construir este negócio, estou lhe dizendo para acrescentar mais coisas à sua agenda já lotada. Para garantir que vai investir mais tempo – que você acha que não tem – em cuidar de si mesma. Só assim você vai poder montar um negócio maior e melhor e se tornar um ser humano mais realizado.

O quê? Pôr mais alguma coisa numa agenda já lotada? É. É exatamente isso que estou dizendo. Se você acabou de me xingar, tudo bem. Eu aguento. Seis anos atrás, provavelmente eu lhe lançaria algumas palavras bem escolhidas se você me dissesse a mesma coisa.

Mas, lembre-se, acabamos de encontrar mais tempo ao torná-la mais eficiente. E eu ainda não lhe dei nenhum mau conselho, portanto, continue comigo. Juro que é possível construir este negócio e cuidar de si mesma *ao mesmo tempo*! A melhor parte é que, quando também cuidar de si, você construirá algo maior e se divertirá mais.

Primeiro, vamos ter clareza sobre uma coisa. Não se pode fazer tudo, portanto nem tente. É difícil equilibrar este monte de coisas: ser o máximo profissionalmente, estar ao lado dos filhos (isto é, estar presente quando estiver fisicamente com eles), cuidar de si e sobrar o suficiente para o marido e os amigos.

É claro que você não vai poder fazer tudo o que quer enquanto estiver iniciando em seu negócio. Considero que todas as consultoras estão no modo iniciante até que obtenham a renda que desejam e que sua equipe duplique a cada mês. Não que você seja um fracasso se não fizer tudo isso. Você é simplesmente humana, como todas nós.

Aprenda a dizer "não"

Neste negócio, comemoramos os "nãos". Caramba, neste livro eu disse para você sair e receber 100 deles de uma vez. Então por que temos tanta dificuldade de dizer "não"? Esta palavrinha é uma das mais importantes para aprender a dizer quando queremos ser presidentes de um negócio em crescimento e nos manter sãs e felizes.

Quando comecei meu negócio, tive que dizer "não" muitas vezes. Não, não posso aceitar mais um cliente só porque você precisa muito da minha competência. Não, não serei capaz de dar aulas na Escola de Hebraico este ano. Não, não posso organizar o evento para captar fundos para a Montessori. Não foi fácil. Afinal, sou mulher, e de algum modo fomos programadas para acreditar que temos que fazer tudo, e bem feito, ainda por cima. Mas quanto mais eu dizia "não", mais fácil ficava. E eu sentia um grande alívio quando dizia "não" às coisas que não estavam entre as minhas prioridades.

> Quanto mais eu dizia "não", mais fácil ficava. E eu sentia um grande alívio quando dizia "não" às coisas que não estavam entre as minhas prioridades.

Também tive que aprender a dizer "não" a mim mesma e àquelas expectativas irreais que muitas criamos para nós mesmas. Já se pegou racionalizando que precisa fazer algo que não quer ou não tem tempo de fazer só porque acha que "deveria"? Não estou falando de passar fio dental ou pagar impostos. Estou falando de coisas como se comprometer com atividades voluntárias em excesso ou com a organização de uma imensa festa de Dia dos Namorados no bairro só porque é sua vez. Eu achava que "deveria" fazer tudo em toda parte, e tenho a sensação de que você também se sente assim. O problema com o "deveria" é que ele não sustenta nossas prioridades. Se sustentasse, não seria "deveria". Seria "queria" ou "teria".

> O problema com o "deveria" é que ele não sustenta nossas prioridades.

Cite o nome de uma CEO de alguma empresa milionária que, quando estava no modo iniciante, preparava o jantar todas as noites, fazia faxina na casa toda semana, não tinha creche nem babá e aceitava todas as oportunidades de trabalho voluntário que lhe oferecessem. Estou falando sério. Mande pelo Facebook uma mensagem com seu nome e eu lhe mandarei um presente.

Tenho certeza de que essa pessoa não existe. Exatamente como Papai Noel e Mulher Maravilha não são reais. Podem ser ótimas ideias para quem vive num mundo de fantasia, mas não para quem está no mundo real. Portanto, venha morar comigo no mundo real. É libertador.

Reconheci bem cedo que, se quisesse ser uma daquelas CEOs milionárias que aspirava a ser, também não conseguiria fazer tudo. Tive que dizer "não" a alguns personagens que eu representava na vida. Um deles era o de Cozinheira da Casa. Sempre adorei cozinhar e, até começar meu negócio, era eu quem fazia a comida. No entanto, ficou claro que esta *chef de cuisine* precisava ser cortada do cronograma das refeições, pelo menos parte das vezes, de modo que eu tivesse mais tempo para conversar com pessoas. Em geral, os jantares se tornaram refeições montadas e congeladas ou ficavam a cargo de John, que começou a ampliar seu repertório culinário para além do terrível "frango com pimenta" do início do casamento. Era só frango e pimenta. Não estou brincando.

Outro personagem foi a "Voluntária Frequente". Antes de começar meu negócio, eu participava de conselhos consultivos de entidades sem fins lucrativos, comandava comissões organizadoras e dava aula para crianças pequenas na escola religiosa. Não sou super-heroína e funciono nas mesmas 24 horas diárias que todo mundo. Então reconheci que não teria tempo nem energia para me concentrar em minhas prioridades – a família, o novo negócio, a saúde e os meus clientes de relações públicas – e ainda fazer todas as atividades voluntárias que havia assumido antes de me tornar empreendedora. Eu sabia que não estava dando adeus para sempre a esse tipo de serviço. Na verdade, assim que tive um negócio lucrativo e a liberdade que ele proporciona, consegui aceitar pedidos de voluntariado e escolher os que mais me tocam o coração.

Enquanto estiver montando seu negócio, diga "não" a tudo o

que não for uma de suas prioridades. Juro: se disser "não" com mais frequência agora, você conseguirá dizer "sim" com mais frequência depois.

Diga "sim" a ajudar

Quando montam empresas, todos os presidentes investem nos recursos humanos e na infraestrutura necessários para maximizar a produtividade e a receita. Em nossa profissão, precisamos de uma fração dos recursos das empresas tradicionais porque aproveitamos a infraestrutura da empresa com a qual trabalhamos. Mas isso não significa que não precisamos de ajuda. E quanto maior seu negócio, mais ajuda você vai precisar, querer e ser capaz de pagar.

> Quanto maior seu negócio, mais ajuda você vai precisar, querer e ser capaz de pagar.

Eu me lembro de uma conversa esclarecedora que tive com Nell Merlino, na época minha cliente. Ela foi uma das fundadoras do Take Our Daughters to Work Day ("Dia de levar nossas filhas ao trabalho", hoje com o nome mais neutro de Take Our Kids to Work Day, ou "Dia de levar nossas crianças ao trabalho"). Eu era assessora de relações públicas e a ajudava a promover sua iniciativa mais recente, Count Me In for Women's Economic Independence ("Conte comigo para a independência econômica das mulheres"). Tenho muito orgulho de Nell. A Count Me In se tornou a maior fornecedora nacional, sem fins lucrativos, de recursos, formação administrativa e apoio comunitário para empreendedoras que, ao contrário de nós no marketing multinível, fazem o imenso esforço de construir negócios por conta própria a partir do nada. Simplesmente adoro que nossas missões profissionais sejam a mesma: ajudar mulheres a criar microempresas próprias rumo aos milhões de dólares de sucesso.

Antes de eu ter meus filhos, levei Nell de carro para visitar a imprensa de Seattle. Ela me disse algo que ficou em minha mente desde então. "Sabe a razão para não haver mais milionárias, Romi? As mulheres não delegam. Não sabem ou se recusam a aprender. E isso está custando caro." Naquele momento, jurei que, se algum dia eu fosse criar um negócio próprio, delegaria tudo o que pudesse.

Se você perceber, como eu percebi, que é incapaz de ser mãe em tempo integral e ainda ter o tempo e a energia necessários para montar seu negócio, incentivo-a a obter ajuda no cuidado com os filhos. Você não é uma fraude se usar uma creche. Na verdade, se não consegue fazer toda a atividade produtora de renda (APR) enquanto cuida dos filhos, a creche é uma despesa essencial do negócio.

Sei que algumas que leem isto pesam: "Espere aí, moça, comecei este negócio para construir algo que me permitisse ficar ao lado de meus filhos." Ora, eu também. E você vai ficar. Mas eu a desafio a me apresentar a CEO de um negócio milionário que não teve que deixar os filhos em algum lugar, pelo menos em meio período, enquanto construía seu império. Tori Burch faltou a alguma reunião com Neiman Marcus porque não tinha quem ficasse com os filhos? Não, não faltou. E por que você acha que conseguiria montar um negócio imenso naquela horinha diária em que seu bebê tira um cochilo?

Por que você acha que conseguiria montar um negócio imenso naquela horinha diária em que seu bebê tira um cochilo?

Como mulheres, estabelecemos para nós mesmas um padrão alto demais e até insensato, na verdade. Talvez você ouça falar, em sua empresa ou em nossa profissão, de mães que têm uma renda de sete dígitos e não têm quem as ajude com os filhos, e mesmo assim educam os filhos em casa, preparam todos os lanches da escola e sempre têm tempo para exercícios e depilação. Se há mulheres por aí que realmente fazem tudo isso, então vou aplaudi-las até minhas mãos doerem. Mas não estou à altura desse padrão nem você deveria estar. Não há problema em precisar de ajuda.

Quando seu negócio crescer e você precisar fazer ligações triangulares com sua equipe enquanto ainda mantém sua atividade pessoal, essa despesa e essa prática serão necessárias ao negócio, para assegurar que você tenha algumas horas ininterruptas pelo menos em alguns dias por semana para trabalhar. Se o horário dos filhos não permite isso, é preciso criar esse tempo.

Mesmo que seus filhos estejam na escola, ainda é bom garantir que você tenha algumas babás disponíveis para aproveitar oportunidades de construção do negócio que exigem sua presença em eventos à noite ou treinamentos no sábado. Ou para se exercitar. Ou para namorar. Isso não é sinal de fraqueza nem de negligência com os filhos. É inteligência nos negócios e na vida. Nossas babás foram providenciais no crescimento de minha empresa e na preservação da minha sanidade.

Também não fazia sentido para mim passar meu valioso tempo limpando a casa se podíamos pagar outra pessoa para fazer a faxina. Eu não ganhava muito quando contratamos nossa primeira faxineira. Mas considerei uma despesa do negócio. Lembre-se: eu já tinha calculado que meu tempo valia 962 dólares por hora. Na verdade, tudo o que me liberasse de fazer o que outros podiam fazer por mim, como limpar, lavar roupa e cozinhar, me permitiria dedicar mais tempo ao negócio que poderia nos libertar. Tratei isso como um negócio e investi parte dos ganhos em criar mais tempo, de modo que eu pudesse ganhar ainda mais. E deu certo.

É por isso que, agora, digo constantemente à minha equipe: "Tudo bem que o pagamento líquido de seu negócio seja menor hoje para que seu ganho bruto possa ser maior amanhã." Pense no custo de faxineiras, comida pronta, creches e babás como despesas do negócio (embora o imposto de renda não lhe permita deduzi-las), porque esses investimentos terão rendimento exponencial.

Diga "sim" ao desenvolvimento pessoal

Espero que até aqui você tenha aprendido que seu negócio provavelmente terá sucesso se você usar a cabeça. Por isso é essencial que reserve algum tempo por dia para encher seu cérebro com coisas positivas e inspiradoras para ajudá-la a ser uma pessoa melhor. Se já não fez isso, comprometa-se com o desenvolvimento pessoal diário. Essa é uma parte fundamental da montagem de seu negócio e de seu crescimento como ser humano.

A dificuldade que encontrei em meu desenvolvimento pessoal é que, quando a situação fica mesmo uma loucura, essa é a primeira coisa que deixo de lado. Mas é a coisa mais necessária e importante. Seja cinco páginas que a gente lê antes de dormir, seja um audiolivro que fica tocando em sua cabeça enquanto você anda, lava a louça ou se maquia (adoro esses multiplicadores). É só fazer todo santo dia.

Encontro muita sabedoria e inspiração em livros sobre nossa profissão, livros de administração, autobiografias, reportagens e todo tipo de livros de autoajuda. Faça do desenvolvimento pessoal parte da cultura de sua equipe. Fale sobre recursos em ligações de treinamento, nos e-mails à equipe ou na página do grupo no Facebook. Dê seus livros favoritos como prêmios de reconhecimento ou incentivo. Escolha um "Livro do Mês" para a equipe e, no fim do mês, reúnam-se, pessoal ou virtualmente, para discutir as principais lições e como aplicá-las ao negócio e à vida.

Diga "sim" à atividade física

Não importa se é uma caminhada de 10 minutos duas vezes por dia enquanto você faz uma ligação triangular ou escuta algo sobre desenvolvimento pessoal, ou se é uma aula em DVD de 25 minutos a que você assiste e pratica antes que todo mundo na casa acorde. Você precisa tornar o exercício uma parte de suas atividades semanais. Ele vai limpar sua cabeça, ajudá-la a administrar melhor o estresse, melhorar seu sistema imunológico, aumentar sua energia e evitar que você engorde os 15 quilos comuns nos primeiros anos do novo negócio. Confie em mim: a última coisa com que você quer se preocupar antes da festa de gala de nossa convenção ou da fabulosa viagem de incentivo que ganhou é se vai caber no vestido ou no maiô. Quem é que tem tempo para isso? E mais: quando estamos fisicamente mais fortes, ficamos mais confiantes. Isso nos torna mais magnéticas. E nos ajuda a atrair as pessoas que correrão conosco. Faço vários tipos de atividades físicas seis dias por semana para me manter forte, concentrada, cheia de energia e saudável. Sei que meu compromisso de mexer o corpo contribuiu muito com meu negócio. Se você acha que não tem tempo, incentivo-a a reconfigurar esse pensamento. Você não pode se dar ao luxo de *não* se exercitar.

Diga "sim" ao tempo ocioso

Quando montamos um negócio próprio – qualquer negócio, mas com certeza no marketing multinível –, há a pressão (real ou autoimposta) de estar sempre fazendo alguma coisa para promover o negócio. Some a isso um emprego, filhos, trabalho voluntário e não surpreende que achemos que precisamos ser produtivas o tempo todo. Estou aqui para lhe dizer que, em um negócio no qual temos que ser magnéticas, pacientes e resilientes, o tempo ocioso é essencial.

Pesquisas científicas mostram que, na verdade, o cérebro em repouso refaz sua reserva de atenção, motivação, produtividade e criatividade. Essas são as mesmas qualidades que nos permitem trabalhar; assim, assegurar que sejam abundantes é fundamental para nosso sucesso pessoal e profissional. Pesquisas também mostram que quem tem tempo ocioso regularmente fica mais satisfeito com o próprio trabalho e melhora o desempenho. [Jabr, F., "Why Your Brain Needs More Downtime", ou "Por que seu cérebro precisa de mais tempo livre", em tradução livre, *Scientific American*, 2013.]

> Em um negócio no qual temos que ser magnéticas, pacientes e resilientes, o tempo ocioso é essencial.

Não é preciso passar muito tempo ociosa para obter resultados. A pesquisa da psicóloga organizacional Almuth McDowall, da Universidade Birkbeck, de Londres, mostra que o importante não é quanto tempo você passa recarregando as baterias, mas que nesse tempo você faça algo que queira fazer. Faça uma aula de ioga, arranje um momento tranquilo para ler, escreva em seu diário enquanto toma uma xícara de chá. É a qualidade e não a quantidade que conta.

Já vi muitas parceiras de negócios – eu inclusive – ignorarem essa necessidade pessoal de quietude, frivolidade e diversão, achando que, se estiverem em movimento constante, atividade constante, isso fará diferença. Mas se não pusermos primeiro nossa máscara de oxigênio, como ajudaremos os outros? Para mim, a máscara de oxigênio são 10 a 20 minutos diários de meditação, um grande cochilo semanal e algumas horas sem culpa diante da TV (meus favoritos são o seriado *Scandal – Os Bastidores do Poder* e o programa *Super Soul Sunday*, com Oprah Winfrey, na OWN). Quando essas coisas não acontecem, eu sinto – e todo mundo em casa também.

Se trabalhar com inteligência, aumentando a eficiência de seu negócio, você terá tempo para a ociosidade. Vai se sentir melhor e com mais controle de seu cronograma e de sua vida. Seu negócio vai crescer. Não é que você não tenha tempo para a ociosidade. A questão é que você está sucumbindo a coisas que desperdiçam seu tempo ocioso fazendo coisas de que não gosta. Portanto, isso não a reabastece.

O tempo ocioso não pode ser trabalho. Muitas em nossa profissão acham que estão descansando quando na verdade estão trabalhando, então isso não as reabastece. Em nossa profissão, visitar as redes sociais não é tempo ocioso, porque faz parte do trabalho.

Entendo perfeitamente a atração constante das redes sociais, principalmente do Facebook. Boa parte disso se baseia no medo de perder alguma coisa. Temos medo de perder uma postagem maravilhosa de alguma colega que possamos usar para nos promover. Medo de perder uma mensagem de uma candidata de nosso funil. Medo de deixarmos de ter importância para nosso público.

> Entendo perfeitamente a atração constante das redes sociais, principalmente do Facebook. Temos medo de perder a importância para nosso público.

Aí vem a verificação constante depois que passamos algum tempo criando uma postagem. Quantas curtidas recebi? Há algum comentário que eu possa aproveitar? E não para mais.

Adoro as redes sociais, admito que sou um pouco viciada e sei que elas têm sido uma parte imensa do crescimento de meu negócio. Elas me ajudaram a fazer contato com mais gente para promover nosso negócio e nossos produtos e são parte indispensável da comunicação de nossa equipe. Já falei de como disciplinar seu uso e que as redes sociais não podem ocupar o lugar das interações e da construção de relacionamentos fora da internet que fazem parte deste negócio, portanto não vou me repetir.

Mas quando ensino as virtudes de reservar um tempo para nós, invariavelmente há alguém que responde que não tem tempo para isso. Talvez seja verdade, mas primeiro lhe peço que verifique quanto tempo passa surfando na internet ou olhando o Facebook. Eu lhe passo o dever de casa que estou passando agora para você.

Entre em ação

Nos próximos sete dias, registre por escrito toda vez que tiver um pouco de tempo livre e resolver dar uma olhada nas redes sociais. Como estará se monitorando, provavelmente você fará isso menos do que de costume. Mas a pesquisa talvez lhe dê uma pista.

Em média, os americanos passam duas horas por dia olhando suas contas nas redes sociais (a maior parte, no Facebook); em nossa profissão, provavelmente é mais. [Ipsos Open Thinking Exchange, estudo de 2013.] Se fazem parte do trabalho, como as redes sociais poderiam ser tempo ocioso e relaxante que nos recarrega e preenche nossa alma? Portanto, pare de usá-las como atividade de descanso!

O que você adora fazer? O que alimenta sua alma, limpa sua cabeça, põe um sorriso em seu rosto? Se já fez todo o expurgo que sugeri nestas páginas, sei que consegue encontrar tempo para espalhá-lo pela semana.

Comece o dia do jeito certo

Ao acordar, é preciso nos alimentarmos antes de começar a alimentar os outros, inclusive nosso negócio. E não estou falando de comida.

Quando meu negócio começou mesmo a crescer, eu acordava e, na mesma hora, verificava o e-mail, as mensagens e o Facebook para ver se havia perdido alguma coisa enquanto dormia. Isso ficou ainda pior quando nos mudamos do fuso horário de Phoenix para o do Pacífico. Imaginei que conseguiria responder a alguns e-mails e a algumas perguntas na página de nossa equipe antes que as crianças acordassem e que eu estava com o dia sob controle desde o começo. Mas não estava. Era o extremo oposto. Eu deixava os outros controlarem meu dia desde o começo. Não admira que me sentisse brincando de pique o dia inteiro. Não reservara um tempo para *me* verificar.

O bom é que cada um de nós pode decidir de que modo o dia começa. Quero que o meu comece com gratidão, positividade e inspiração.

Primeiro, se você usa o celular como despertador, pare com isso. Deixe esse maldito aparelho em algum lugar onde não o veja ao acordar – até que seu dia já tenha começado do seu jeito. Caso contrário, assim que estender a mão para desligar o alarme, você ficará tentada a verificar o e-mail, as mensagens e as redes sociais. Assim, a partir do minuto em que acordar, estará no modo de reação.

Gosto de ter um ritual matutino porque ele dá o tom do dia inteiro. Quando o perco, sinto falta. Meu ritual matutino é, assim que abro os olhos, pensar em alguma coisa pela qual sou grata. Então estabeleço mentalmente minha intenção para o dia. Não é uma revisão da lista de afazeres, mas de como quero abordar o dia. Por exemplo, hoje de manhã minha intenção era Paz. Eu sabia que tinha um monte de coisas para resolver e que algumas delas atrapalhariam meu cronograma habitual. Então estabeleci a intenção de permanecer em paz o tempo todo.

Pense no que você pode começar a fazer todas as manhãs para obter alguns minutos para si mesma e estabelecer o tom do dia. Agora faça isso durante três semanas, sem exceção. Juro: isso vai mudar a sua vida.

Desconecte-se

Isso foi dificílimo para mim nos primeiros anos, mas é muito necessário ter horários estabelecidos para nos desconectarmos completamente do trabalho e da tecnologia – todos os dias, todas as semanas e por períodos mais longos todos os anos. Pesquisas mostram que se desconectar aumenta a produtividade e de fato ajuda a equipe a desenvolver talentos e liderança próprios.

> Pesquisas mostram que se desconectar aumenta a produtividade e de fato ajuda a equipe a desenvolver talentos e liderança próprios.

Um estudo da professora Leslie Perlow, da Harvard Business School, questionou a ideia de que os funcionários têm que estar sempre disponíveis para fazer um bom trabalho. Os achados de Perlow, delineados num artigo publicado na *Harvard Business Review*, envolveram equipes de assessores do Boston Consulting Group (BCG), empresa famosa pela força de trabalho impetuosa, ambiciosa e focada na carreira. [Perlow, L. e Porter, J., "Making Time Off Predictable – and Required", ou "Tornando a folga previsível – e obrigatória", em tradução livre, *Harvard Business Review*.] Nós não somos funcionárias, mas os achados são aplicáveis a empreendedores com negócios como o nosso, que pressupõe a montagem e a liderança de equipes.

Uma das experiências envolvia uma equipe que trabalhava num projeto para um cliente novo, e pediu-se que todos no grupo tirassem um dia inteiro de folga por semana. Numa segunda experiência, que envolvia uma equipe que trabalhava em um projeto de reestruturação pós-fusão, Perlow determinou que cada assessor planejasse tirar uma noite de folga por semana, na qual não poderia trabalhar depois das 18 horas, nem mesmo olhar os e-mails.

Ela descobriu que os participantes que tiveram tempo ocioso regular relataram maior satisfação com o emprego, aumento da probabilidade de vislumbrar uma carreira de longo prazo na empresa e melhor equilíbrio entre vida e trabalho quando comparados a funcionários do BCG que não participaram da experiência. O desempenho dos participantes foi beneficiado. As experiências resultaram em comunicação mais aberta entre os membros da equipe, o que gerou mais eficiência no modo como a equipe realizava os projetos. Além disso, Perlow descobriu que, como alguns colegas não estavam disponíveis o tempo todo, todos foram forçados a entender melhor o trabalho dos outros, desenvolver novas habilidades e resolver problemas.

Como os participantes das experiências de Perlow, todas nós precisamos de um tempo para nos desconectarmos por completo. Isso significa desligar o telefone por algum período todo santo dia para estarmos totalmente presentes para alguma outra coisa que não seja o trabalho. Faço isso na hora do dever de casa das crianças e na hora do jantar, para que meus filhos saibam que têm minha atenção exclusiva. Duas noites por semana, depois que as crianças vão dormir, desligo o celular, para que John receba minha atenção exclusiva. Também é importante se desligar do trabalho um dia por semana. Entendo que, se você mantém um emprego em tempo integral ao mesmo tempo que administra seu negócio, talvez pareça impossível tirar um dia inteiro de folga e ainda realizar a APR de que precisa. Mas incentivo-a a passar o tempo de montagem do negócio na verdadeira APR e treinar a eficiência como ensinei. Estou disposta a apostar que, na verdade, você consegue se desconectar completamente um dia por semana e atacar os outros seis dias com mais disposição e eficiência.

Também acredito muito em se desconectar do negócio por uma sequência de dias uma ou duas vezes por ano. Mesmo que sejamos praticantes frequentes de atividades de relaxamento e nos desconectemos regularmente, o corpo e a mente precisam de férias para evitar o esgotamento e para conseguir trazer o que temos de melhor para o negócio e para a vida pessoal no restante do ano. Além disso, férias não são férias de verdade se você continua trabalhando.

E mais: você não é a única que precisa de férias de verdade. Sua equipe precisa ver que você faz isso. Tudo se duplica, e você quer que as integrantes dupliquem o equilíbrio entre trabalho, família e cuidados consigo mesmas. Seus filhos também precisam ver isso. Como criar filhos cuja cabeça não esteja sempre no celular, que saibam estar presentes e ter conversas de verdade olhando nos olhos de outro ser humano se não formos o exemplo? Nunca podemos pedir à equipe que faça coisas que não nos dispomos a fazer. E o mesmo se aplica aos filhos. Vamos ensinar nossos filhos a trabalhar com afinco, de maneira concentrada e eficiente, e também a aproveitar o restante da vida.

Ainda não se convenceu de que consegue se desconectar? Experimente fazer isso durante um mês. Se estiver fazendo tudo o que deveria fazer durante seus dias, semanas e anos, então desconectar-se para acalmar a alma vai realmente melhorar sua saúde, sua felicidade e seu saldo bancário.

Comemore as pequenas vitórias

Crie o hábito de se recompensar pelo esforço – pela atividade –, e não pelo resultado. Todo dia, todas nós conquistamos pequenas vitórias, mas, infelizmente, não as reconhecemos. Ligar para cinco pessoas novas. Fazer contato com a pessoa mais assustadora de sua Lista da Covardia. Ter uma conversa franca com sua parceira de negócios sobre metas e a falta de iniciativa dela para alcançá-las, embora tenha sido muito desconfortável. São as pequenas vitórias que levam às grandes, e comemorar e recompensar-se por esses sucessos ao longo do caminho nos mantém motivadas para continuar avançando rumo às grandes metas mais cabeludas e audaciosas. Quando o reconhecimento e a comemoração das pequenas vitórias se tornarem parte da cultura de sua equipe, isso fará uma grande diferença no nível de confiança das integrantes. Se você é mãe, incentivo-a a comemorar as pequenas vitórias, tanto as suas quanto as de seus filhos.

> São as pequenas vitórias que
> levam às grandes.

Construir um negócio de seis ou sete dígitos é difícil. Exige coragem, disciplina, garra, visão e uma boa dose de coragem. Alguns dias você vai sentir que está fracassando absurdamente e que nunca chegará aonde quer. Mas sou a prova viva de que você pode e chegará. Leva tempo. Portanto, além de ser boa consigo mesma, pratique a paciência. Isso não significa que deva ser complacente e não atacar seu negócio todos os dias com compromisso e empolgação. Mas, embora tenha controle completo sobre qual é sua APR pessoal, você não tem controle nenhum sobre sua loteria pessoal nem sobre quando corredoras entrarão na equipe. Adoro o que Warren Buffet disse: "Não importa se o talento e o esforço são grandes, algumas coisas simplesmente levam tempo. Não se pode produzir um bebê em um mês engravidando nove mulheres." Tenha paciência. Vai acontecer.

Seja boa consigo mesma

Haverá dias em que tudo vai virar um inferno. Seus melhores planos de produtividade, de cuidados pessoais e de sucesso na APR vão parar no lixo. Você vai estragar as ligações de prospecção. Vai irritar uma das integrantes de sua equipe (acredite em mim nisso aí). Mas, quando acontecer, pegue leve. Tenha por si mesma alguma gentileza e elegância. Tudo o que qualquer uma de nós pode exigir de si é fazer o melhor possível a todo momento. E em alguns dias seu melhor possível pode ser medíocre ou um lixo total. Tudo bem. Você é um trabalho em construção, como todas nós. Admita isso, aprenda com isso e siga em frente.

> Haverá dias em que tudo vai virar
> um inferno. Tenha por si mesma
> alguma gentileza e elegância.

Vamos ser bem francas aqui. Enquanto você se arrasta morro acima rumo às suas metas, e mesmo depois de chegar ao topo, você não terá tudo o tempo todo. É por isso que temos que fazer todo o possível para cuidar de nós mesmas ao longo do caminho.

Porém em alguns dias você terá tudo ao mesmo tempo. Meus dias de ter tudo são assim: uma ótima sessão de exercícios, um trabalho muito produtivo, almoço e manicure com uma amiga querida, assistir à aula de balé de Bebe, ter uma conversa "profunda" com Nate sobre suas metas, banho e carinhos em nossa filha de quatro patas, palestrar para 450 pessoas que querem sonhar mais alto, um encontro à noite com John e nossos melhores amigos para comemorar com os mais recentes ganhadores de carro em nossa equipe e depois me aconchegar com John até dormirmos. Seu dia perfeito pode ser totalmente diferente. Até construir um negócio grande e autossustentável e poder largar o emprego, eles serão raros. Mas acontecem. E, quando acontecem, é pura magia.

Não se entristeça por não ser capaz de ter tudo nem fazer tudo. Montar um negócio grande exige sacrifícios. Você tem que priorizar seu tempo. Cuidar de você precisa ser uma de suas prioridades. Porque VOCÊ é a integrante mais importante de sua equipe.

Capítulo 15

CASO DE FAMÍLIA

É impossível montar este negócio no vácuo. Você quer que, além de conhecer e entender seu negócio, seu parceiro também seja seu principal incentivador. Quero ajudá-la a envolver a família em seu negócio e atravessar o campo minado que pode surgir no processo. Mesmo que não esteja numa relação de compromisso ou que não tenha filhos, ainda assim é importante entender isso, porque você terá em sua equipe integrantes que precisam aprender a envolver a família no próprio negócio. Embora eu saiba que as famílias têm diversos tamanhos e formatos, ao longo deste capítulo usarei "marido" no sentido de cônjuge, esposa, parceiro ou parceiro amoroso de qualquer tipo.

Conte a eles a vantagem em primeiro lugar

Seu negócio afetará seu marido e seus filhos de um jeito que será desconfortável, inconveniente, ameaçador ou incômodo. Confie em mim; é inevitável. Mas se, além de saberem o PORQUÊ de você construir seu negócio, eles souberem também o que têm a ganhar, será mais fácil aceitarem seu novo normal e seu negócio paralelo.

Este negócio é uma grande mudança para seu marido, e você precisa admitir isso. Por mais ocupada que fosse antes, você pôs mais uma atividade em sua vida, e isso significa menos tempo para outras coisas, inclusive para ele. Talvez ele precise assumir mais responsabilidades domésticas e familiares. Talvez receba menos atenção e até haja menos sexo. Portanto, é imperativo que ele entenda o PORQUÊ de você construir seu negócio e também o que ele tem a ganhar com isso.

> Você quer que, além de conhecer e entender seu negócio, seu parceiro também seja seu principal incentivador.

Caso seu marido tenha assumido a responsabilidade de ser a principal fonte de renda da família e você queira trazer mais dinheiro para cobrir as despesas domésticas, diga que está decidida a tirar dos ombros dele parte do fardo financeiro e assim reduzir seu estresse. Se quiser montar uma alternativa para sair de seu emprego, explique que você quer largar o emprego para ter mais alegria e energia para dar a ele e aos filhos. Se quiser criar um fundo maior de férias e seu marido adora golfe, explique que você deseja poder pagar férias mais luxuosas que incluirão tempo para ele no campo de golfe. Já deu pra entender a ideia, certo?

Lembre-se de que a vantagem para ele tem que ser algo que ele realmente quer. Só porque você conhece histórias de esposas que aposentaram os maridos, não suponha que o seu queira se aposentar da carreira, a menos que ele lhe diga isso. Se ele adora o que faz, talvez fique ressentido se você o puser nessa categoria. Em vez disso, encontre vantagens verdadeiras para ele.

Quando ele entender os benefícios que seu negócio pode trazer para todos, é mais provável que haja discussões positivas e produtivas – como as reuniões semanais que sugeri no capítulo 13 e a conversa sobre a contratação do auxílio de que você precisa para aproveitar melhor seu tempo (que vimos no capítulo anterior). Isso também tornará bem mais fácil para ele explicar aos amigos como seu negócio está ajudando, ou vai ajudar, a eliminar parte dos pontos de dor dele e que o mesmo pode acontecer com eles se suas esposas também se envolverem.

Não importa a idade de seus filhos – se são bebês ou adolescentes –, eles serão afetados pelo seu negócio. Talvez precisem se acostumar a não ter você sempre à disposição, a ficar quietos enquanto você estiver ao telefone ou até a perder a festa de 10 anos por causa da conferência nacional de sua empresa (Nate ainda fala disso quando quer nos fazer sentir culpados). Ajude-os a entender o que eles têm a ganhar para que sejam mais prestativos e flexíveis e aceitem melhor a mudança.

> Não importa a idade de seus filhos, eles serão afetados pelo seu negócio. Ajude-os a entender o que eles têm a ganhar para que sejam mais prestativos e flexíveis e aceitem melhor a mudança.

Quanto mais novos forem seus filhos, mais gratificação imediata a vantagem terá que oferecer. Se estiver trabalhando para largar o emprego, a vantagem pode ser: "Quero trabalhar com afinco para montar meu negócio até ficar tão grande que eu não precise mais ter o outro emprego que deixa mamãe irritada e chata. Gostaria que eu ficasse mais feliz e risse mais?" Que criança diria "não" a isso? Quando seus filhos crescerem, a vantagem pode ficar distante no futuro. Se quiser aumentar o fundo da faculdade, explique que está montando este negócio para que eles tenham mais opções.

Quando comecei meu negócio, Nate estava na pré-escola. Expliquei a ele que precisava trabalhar em meu negócio enquanto ele brincava quietinho para que pudéssemos nos ver e nos abraçar sempre que quiséssemos, em vez de eu ir para o escritório todos os dias. Quando os dois começaram a praticar esportes e outras atividades e proclamavam seu amor pelas aulas de artes marciais ou dança, eu usava todas as oportunidades para lembrar a eles que estava trabalhando tanto em meu negócio para poder pagar essas atividades. Quando não estava disponível para pôr meus filhos para dormir à noite por causa de eventos ou quando viajava para prospectar em outros mercados, eu conversava com as crianças sobre as metas da família e dizia que estava trabalhando para que elas se realizassem. Nate e Bebe nasceram com sede de correr o mundo, e usar com eles as metas de férias funcionou maravilhosamente com o passar dos anos.

Também estabelecemos nossos PORQUÊS familiares ano a ano usando um quadro de metas da família. Talvez você já tenha sido treinada a fazer quadros de metas pessoais com uma colagem de imagens que declarem o que você está construindo. Esse é um exercício extraordinário para fazer sozinha e com sua equipe, principalmente se mantiver o quadro em um lugar muito visível. Também é um exercício extraordinário para fazer em família. Ele ensina a seus filhos uma prática preciosa que podem usar a vida inteira, e um quadro de metas visível rumo ao qual trabalhar torna os ajustes e sacrifícios necessários mais fáceis para todo mundo.

Recrute seu marido

Não estou sugerindo que você ponha seu marido no negócio como consultor, embora isso possa acontecer. Estou falando de se assegurar de que seu parceiro tenha uma compreensão básica de seu empreendimento e se envolva nas partes do negócio que o afetam. É por isso que a primeira ligação triangular que você fará com sua patrocinadora, antes mesmo das ligações para a Lista do Lixo, deve ser com seu marido. Você quer que ele seja seu maior incentivador, que use os produtos ou serviços que agora você representa e que seja uma fonte de indicações. Essa ligação é uma oportunidade importante para seu marido entender o negócio, para responder a quaisquer preocupações que ele tenha que não foram abordadas quando você pensava no negócio e para explicar a ele como seria útil que ele a ajudasse a aumentar sua lista de candidatos nas próximas semanas com pessoas que conheça.

> A primeira ligação triangular que você fará com sua patrocinadora deve ser com seu marido.

Também incentivo você a dividir com ele informações que considere empolgantes e cativantes, não só ao começar o negócio, mas durante toda a sua carreira. Pergunte a seu marido se pode compartilhar com ele suas dificuldades, explicando que não está pedindo que conserte nada (que é a reação automática dos homens), mas que precisa apenas desabafar e receber apoio moral. Também pergunte se ele gostaria de saber sobre as grandes e pequenas vitórias de sua equipe. Isso vai ajudá-lo a fazer parte de seu negócio e de sua visão.

Outra parte importante do recrutamento do marido é marcar

reuniões de rotina para falar sobre horários, tarefas e como ajudar um ao outro a fazer todas as coisas necessárias. Lembre-se: a curto prazo, seu novo negócio trará mais atividades para a vida de seu marido, o que ele pode achar desagradável. Essas reuniões de negócios mensais – e eu incentivo vocês dois a pensar nelas assim, como reuniões de negócios – podem ser bem diferentes em seu casamento, mas são essenciais. Como a vida muda e os horários dos filhos e as demandas do emprego oscilam, suas reuniões mensais conseguirão acomodar a natureza fluida da vida.

Os dois devem ir a essas reuniões com as respectivas agendas e ter uma conversa sincera sobre o que cada um pode fazer para ajudar o outro. Além das complicações semanais do gerenciamento da família, essas reuniões devem ser um *brainstorm* sobre estratégias mais amplas para arranjar mais tempo para vocês dois. Por exemplo, numa dessas reuniões você pode decidir que está disposta a trocar os programas mais caros com babá por noites de cinema em casa com comida para viagem, enquanto as crianças brincam na casa de amigos, e que isso lhe permitirá contratar uma faxineira duas vezes por mês para que ambos se libertem de boa parte do serviço doméstico. Essas reuniões devem acontecer sem que haja interrupção de filhos, telefones e outras distrações. E precisam ser sagradas, ou seja, não podem ser canceladas. Elas têm que acontecer.

Além das reuniões mensais, as reuniões semanais de 10 a 15 minutos ajudarão vocês dois a organizar as tarefas da semana. Elas reduzem as surpresas e frustrações que podem vir do não entendimento da agenda um do outro ou do esquecimento de compromissos.

John e eu fazemos as reuniões mensais de negócios e as semanais há anos. Além de me ajudar a crescer mais depressa e fazer nossa vida e a família funcionarem com mais suavidade, elas trouxeram um efeito colateral importantíssimo para nosso casamento. Embora este negócio seja seu e seu marido tenha a profissão dele, trabalhar em conjunto para organizar tudo vai aproximá-los e fazer cada um de vocês se sentir uma parte maior da vida e do sucesso do outro. Ainda que nos quatro primeiros anos de meu negócio John não saísse por aí buscando candidatas para mim nem comandasse treinamentos, ele sabe que meu sucesso também foi dele, porque viu – e eu sempre o lembrava disso – que teve um grande impacto sobre o que eu estava construindo.

Aproveite a rede de seu marido

Como você, seu marido tem uma rede. As pessoas da rede dele podem se tornar suas parceiras de negócios, clientes ou fontes de contato com grandes consultoras. Seu parceiro está sentado em uma possível mina de ouro e precisa entender isso. Quanto mais ele aproveitar a rede que tem, mais depressa você poderá crescer. Embora fosse muito útil a meu negócio de outras maneiras, John não aproveitou a rede dele nos primeiros anos. Agora ele admite que isso foi um grande erro e se repreende por não ter entrado em contato imediatamente para que pudéssemos ter crescido ainda mais depressa.

> Seu parceiro está sentado em uma possível mina de ouro e precisa entender isso. Quanto mais ele aproveitar a rede que tem, mais depressa você poderá crescer.

Peça a seu marido que se sente e faça uma lista de todas as pessoas que conhece que sejam influentes, bem-sucedidas, conheçam muita gente, tenham personalidade magnética, estejam sem emprego no momento ou tenham esposa. Exatamente como você, seu marido não pode prejulgar se acha que eles se encaixarão ou não em seu negócio. Como você, assim que ele criar o hábito de pensar em pessoas, começará a pensar em outras, mesmo nas horas mais aleatórias. Portanto, incentive-o a registrar esses nomes no celular ou em um caderninho para acrescentá-los à sua lista. Crie o hábito de pedir ao marido que passe 15 minutos aumentando a lista dele. Ofereça uma cerveja ou uma taça de vinho e dê espaço para que ele vasculhe a própria memória, os amigos do Facebook, os colegas de escola, os contatos do celular.

Assim que ele tiver uma lista, vocês dois precisam descobrir a melhor maneira de entrar em contato com cada uma dessas pessoas. Não há um jeito único de fazer isso. Depende muito da relação de seu marido com o contato.

Em reuniões curtas e frequentes (John e eu acrescentamos 5 a 10 minutos adicionais a toda reunião semanal), converse sobre as pessoas da lista dele, em grupos de 10 a 20 pessoas de cada vez. Com certos nomes, é provável que seu marido se sinta mais à vontade apenas lhe passando os dados de contato. Quando procurar essa pessoa, você pode começar a conversa dizendo, por exemplo: "John sugeriu que eu entrasse em contato com você para lhe pedir ajuda com meu negócio, porque você conhece muita gente em Boston." Há outros que talvez precisem de um aquecimento rápido, como um telefonema ou e-mail de seu marido que diga mais ou menos o seguinte: "O negócio de minha mulher está se expandindo em Seattle, e eu disse a ela que achava que você seria um ótimo recurso, já que tem uma rede tão grande lá. Eu adoraria colocá-los em contato para que ela explique quem está procurando. Posso passar o número de seu telefone para ela? Qual a melhor hora do dia para encontrá-lo?"

Ou talvez a esposa de um dos contatos de seu marido devesse conhecer seu negócio. Seu marido pode ligar ou mandar um e-mail a ele e dizer: "Jack, o negócio de minha mulher está crescendo. Ela acabou de pagar nossa hipoteca / está pagando todas as atividades das crianças / está custeando as férias da família este ano, e acho que Judy deveria dar uma olhada. Quem sabe, talvez ela queira ganhar uma boa grana e se divertir com isso. Qual é a melhor maneira de pôr as duas em contato, por telefone ou por e-mail?"

Seu marido não precisa saber mais do que isso. Se receber perguntas que não sabe responder, basta dizer: "Minha mulher tem todas as informações. Vou colocá-los em contato." Talvez você até descubra, como descobri com John, que seu marido gosta de fazer contato com as pessoas e talvez queira entender melhor como conversar sobre sua história e seu negócio. Muitos maridos ativos em nossa equipe se envolveram mais dessa maneira. Todo mundo sai ganhando e isso os ajuda a obter mais depressa sua vantagem.

Como lidar com um marido que não apoia muito

Talvez seu marido veja o que você viu nesta oportunidade e lhe dê todo o apoio para começar seu negócio. Serei sempre grata porque, quando comecei meu negócio, John reconheceu que a melhor maneira de me ajudar era assumindo muitos papéis que os homens da geração de nossos pais nem cogitariam. Em algumas noites por semana, ele cozinhou. Dividimos as tarefas de limpeza e lavagem de roupa, e então, quando ficou claro que era melhor aplicar nosso tempo em nossos respectivos negócios e nos tornarmos mais presentes para nossos filhos, usamos parte de meus rendimentos para pagar uma faxina semanal. Ele fez sozinho algumas rotinas da hora de dormir para eu ir a eventos ou falar ao telefone. Mesmo com a agenda lotada no consultório médico, a criação do próprio empreendimento, os livros que escrevia e a tentativa de dormir, ele me apoiou de todas as maneiras.

Desejo o mesmo apoio a todas vocês. Mas sei, por muitas de nossa equipe, que nem todos os maridos dão esse apoio. Talvez o seu esteja até aproveitando todas as oportunidades possíveis para ser, digamos, menos do que apoiador. Não posso fingir que entendo como é isso ou como seria difícil fazer tudo o que este negócio exige sem ter seu parceiro mais importante ao lado. Gostaria de poder garantir que ele vai concordar, mas não posso.

Apenas saiba que muitos maridos concordam e apoiam. Nossa querida amiga e parceira de negócios Jamie Petersen não teve muito apoio do marido, Bret, quando começou. Ele não levava este negócio a sério. Analista financeiro com muito trabalho, ele se irritava quando voltava para casa depois de um dia longo e Jamie tinha que sair para ir a um evento de negócios, deixando-o com os dois filhos pequenos. A princípio, não ficou contente com o ritmo de crescimento, dado o investimento de tempo da esposa, e não via qual vantagem haveria para ele e para a família a longo prazo. Em vez disso, se concentrava em ressaltar como estava incomodado. Mas Jamie, cuja carreira anterior era no mercado de ações, reconhecia o potencial deste negócio e sabia o que precisava fazer para criar o contexto financeiro que queria para a família.

Quando começou a ver o dinheiro entrando e a trajetória de crescimento, Bret passou a prestar mais atenção. O marido antes irritado e incomodado se tornou o maior incentivador da mulher e um catalisador para os maridos se envolverem mais na equipe. Hoje eles têm um negócio milionário. Embora mantenha a carreira que ama, Bret também ensina aos maridos da equipe como ajudar as mulheres a crescerem mais depressa e participa de eventos de construção de negócios. Agora ele faz o que for preciso para ser parceiro de Jamie em toda a vida do casal, que hoje tem três filhos adoráveis e muito ativos.

Às vezes, os maridos levam ainda mais tempo para participar. Eu me lembro de, durante uma viagem de incentivo, consolar uma parceira de negócios que caiu em prantos depois de outro telefonema angustiante com o marido, que estava em casa com a filha pequena. Ele se queixava toda vez que ela precisava deixar a menina com ele por causa do negócio, e isso estava acabando com ela. E era assim mesmo depois que ela já obtivera um imenso sucesso com seu negócio e conseguira se aposentar de sua carreira. No entanto, ela não deixou que isso a desviasse de suas metas e continuou comprometida com sua ideia de acabar com as dívidas da família e largar o emprego para que pudesse cuidar da filha em casa. Eu me orgulho muito dessa amiga forte que não permitiu que os problemas do marido a afastassem de suas metas enquanto construía um negócio – que hoje gera rendimentos milionários – e criava um fundo para estudos. O marido acabou apoiando e aceitando as oportunidades que tinha para construir um laço mais forte com a filha e acompanhar a esposa em grandes eventos da empresa e luxuosas viagens de incentivo.

Veja, não há nenhuma garantia de que seu marido agora incrédulo veja a luz, comece a apoiá-la e participe ajudando-a a montar seu negócio. Mas saiba que muitas consultoras bem-sucedidas começaram sem o apoio irrestrito do cônjuge e acabaram conseguindo que eles embarcassem com tudo. Pode ser preciso que entre dinheiro por algum tempo para que seu marido realmente veja a vantagem que há para ele e para a família. Até essa hora chegar, concentre-se em seu negócio, cerque-se do maior número possível de pessoas positivas e encha a cabeça de desenvolvimento pessoal todos os dias.

Torne seus filhos parte do negócio

Sempre tentei encontrar maneiras de fazer as crianças se sentirem incluídas, e isso começou com minha referência a ele como "nosso negócio" ou "o negócio da família". Quando as crianças eram bem pequenas, eu lhes dava telefones e computadores de brinquedo para que pudessem fazer seu "trabalho" enquanto eu fazia o meu. Eu lhes delegava pequenos serviços para ajudarem no negócio da família, mesmo que não ajudassem muito, só para que se sentissem donos do sucesso. Isso incluía esvaziar a lata de lixo de meu escritório em casa, organizar as canetas, picar papel e qualquer outra coisa que achassem divertido e lhes atribuísse valor e empoderamento. À medida que as crianças cresceram, sua contribuição ficou mais substancial. Semana passada, Nate e Bebe me ajudaram a escolher a bela joia que darei às pessoas de melhor desempenho em uma série de treinamentos que estou fazendo com uma parte da equipe.

Este negócio oferece uma oportunidade inestimável de ensinar aos filhos que é possível trabalhar com afinco para obter o que queremos, ao mesmo tempo que ajudamos outras pessoas a obter o que elas querem. Uma parte imensa disso está em apresentar as crianças à nossa equipe. Sempre fiz questão de que conhecessem a equipe por meio de postagens do Facebook e falando da família e do sucesso de nossas parceiras de negócios. Eles sabem quando estou trabalhando duro atrás de uma meta e também quando nossas parceiras de negócios estão tentando ganhar um carro, uma promoção ou uma viagem. Isso levou às nossas adoradas festas de fim de mês, quando pomos a música no volume máximo e dançamos a cada grande anúncio.

Também envolvi as crianças no reconhecimento da equipe, desde os desenhos nos envelopes de cartões e pacotes até os vários vídeos com sorteios de incentivo e as mensagens de parabéns por promoções ou viagens conquistadas. É importante construir uma cultura de equipe na qual todos se sintam parte de uma família, por isso também era importante que a equipe conhecesse Nate e Bebe.

Na verdade, aos 10 anos Nate foi o convidado mais jovem de nossa audioconferência semanal. Ele mostrou à equipe o que seu sucesso vendendo bicos-de-pagagaio para a ACM havia lhe ensinado sobre estabelecer metas e atingi-las e como manter nosso negócio brilhantemente simples. Ele compartilhou pérolas para explicar por que não leva o "não" para o lado pessoal. "Por que deveria me importar? Não sou um bico-de-papagaio." Eu me senti orgulhosa quando vieram avaliações entusiasmadas de nosso pessoal nos Estados Unidos e no Canadá, afirmando que Nate ajudara a promover momentos de eureca e grandes descobertas. Algumas mães até encaminharam a ligação para suas filhas escoteiras, para prepará-las para a temporada de venda de biscoitos. Acha que isso aumentou a autoconfiança de Nate e a sensação dele de ser dono do negócio? Pode apostar que sim.

Este negócio fez de mim uma esposa e uma mãe melhor. Fez de John um marido melhor. Fortaleceu nosso casamento. E nossos filhos estão crescendo em uma família que comemora o estabelecimento de metas, o esforço, a dedicação, o trabalho em equipe e o sucesso dos outros. Tudo o que esta profissão nos ensinou transbordou para nossa forma de criar nossos filhos e para a evolução do caráter de Nate e Bebe. É uma das partes mais inesperadas e valiosas deste trabalho. Desejo o mesmo a você e sua família.

Nossos filhos estão crescendo em uma família que comemora o estabelecimento de metas, o esforço, a dedicação, o trabalho em equipe e o sucesso dos outros.

Capítulo 16

#OMEDOQUESEDANE

Você pode ler centenas de livros fenomenais sobre construção de negócios, e espero que você esteja achando que este é um deles. Pode escutar a cada semana todas as ligações de treinamento que encontrar, embora agora saiba por que não incentivo esse comportamento. Pode ser parceira direta da maior superestrela de sua empresa. Pode até entender todas as complicações deste sistema simples e duplicável. Mesmo com TUDO ISSO, ainda há uma coisa que vai afastá-la do sucesso.

Medo.

Essa palavrinha de quatro letras pode ter um poder destrutivo capaz de aniquilar todas as suas intenções. Sabe todas as bobagens que você inventa em sua cabeça? O medo está por trás de cada uma delas.

E a má notícia é: todos os seres humanos têm medo e não há como fugir disso. Nunca vou me esquecer de quando John e eu assistimos ao primeiro recital de balé de nossa filha Bebe, na época com 5 anos. Seu euzinho confiante, ao lado das colegas bailarinas, saltitou e pavoneou-se pelo palco todo. Elas não se lembraram de todos os passos. Sem dúvida não tiveram um desempenho impecável. Mas dançaram com todo o coração, com entusiasmo irrestrito. Com pura alegria. Sem medo. Sim, estavam muito orgulhosas dos figurinos que usavam, mas o que mais me espantou foi que eram alminhas nuas. Eram como Deus queria que fossem.

Veja, na idade delas, ninguém lhes tinha dito que não eram naturalmente talentosas nem que não deveriam dançar porque nunca estariam entre as poucas que chegarão à Broadway. Ninguém lhes havia dito que não tinham beleza suficiente. Ou altura suficiente. Ou magreza suficiente. Ou que dançar não é uma realização respeitável. E elas não têm registro de outros fracassos ou decepções para esmagar sua confiança. Estavam apenas dançando com a música, simplesmente porque um dia decidiram que queriam dançar.

Avancemos alguns anos e a paixão de Bebe progrediu para a trupe competitiva. A naturalidade despreocupada já foi temperada por um sistema que julga e classifica, há vencedores e perdedores. Os ensaios dela, tanto no estúdio quanto no quarto, têm uma nova observadora: a dúvida sobre si mesma. Ela se pergunta: "Serei boa o bastante?", "Será que consigo?", "E se eu errar?".

É o que acontece com todo mundo. Sofremos decepções. E fracassos. E classificações. E temos relacionamentos que não são fonte de apoio. A vida acontece. Ficamos envoltas em medo. Somos cobertas por ele e, com o tempo, o medo pode ficar tão denso e pesado que nos impede de recordar nossos sonhos. De que somos capazes. Quem deveríamos ser. Ele dá origem a vozes dentro da nossa cabeça que se tornam tão barulhentas que não conseguimos mais ouvir nosso eu real.

Somos cobertas pelo medo e, com o tempo,
ele pode ficar tão denso e pesado que
nos impede de recordar nossos sonhos.

Não admira que, apesar de ter todo o treinamento e todas as ferramentas de que precisamos, tão poucas realmente consigam construir o negócio de que são capazes. O motivo é que o medo soterrou o PORQUÊ, o treinamento, os sonhos e as possibilidades delas.

Para provar essa questão, pedi recentemente às 30 integrantes de um pequeno grupo de pessoas a quem costumo prestar contas que escrevessem todos os seus medos sobre o negócio, tirassem uma foto e postassem na página do grupo no Facebook. Eis a lista de tudo que admitiram:

- medo de não dizer a coisa certa;
- medo de parecer burra;
- medo de transmitir confiança em demasia;
- medo de não ter confiança suficiente;
- medo de não ser levada a sério;
- medo do que os outros vão pensar de mim;
- medo do que os outros pensam deste negócio;
- medo de incomodar meus amigos e parentes;
- medo de importunar os outros;
- medo de ser "aquela pessoa" de quem todo mundo quer fugir;
- medo de não ter o necessário;
- medo de não ter a rede certa;
- medo de esgotar minha rede;
- medo de ficar sem ninguém com quem conversar;
- medo de não conhecer gente nova;
- medo de manter meu funil cheio;
- medo de manter meu funil cheio demais;
- medo de não encontrar as pessoas certas;
- medo de investir tempo nas pessoas erradas;
- medo da rejeição;
- medo de receber um "não";

- medo de um "não" mudar nossa relação;
- medo de ser julgada;
- medo de desapontar os outros;
- medo de me desapontar;
- medo de deixar meus filhos na mão;
- medo de deixar meu marido na mão;
- medo de me deixar na mão;
- medo de provar que meus críticos estão certos;
- medo de não provar que meus críticos estão errados;
- medo de me estressar;
- medo de me pressionar demais;
- medo de não avançar com rapidez suficiente;
- medo de ir depressa demais e dar com os burros n'água;
- medo de me dedicar de verdade e fracassar;
- medo de atingir um platô e não sair dali;
- medo de não encontrar parceiras de negócios;
- medo de não conseguir treinar novas parceiras de negócios;
- medo de não montar uma equipe;
- medo de não conseguir liderar uma equipe;
- medo de não fazer o suficiente por minha equipe;
- medo de não achar corredoras;
- medo de achar corredoras que avancem muito mais depressa do que eu;
- medo de não achar quem veja o mesmo que eu;
- medo de desperdiçar meu tempo;
- medo de não equilibrar o apoio à equipe com o cultivo de meu negócio pessoal;
- medo de nunca conseguir equilibrar o negócio com o restante da vida;
- medo de meu negócio ficar grande demais para equilibrar;
- medo de não ganhar dinheiro suficiente;
- medo de ganhar muito dinheiro e depois perder;

- medo do sucesso;
- medo do fracasso;
- medo do fracasso de minha equipe;
- medo de não sustentar o sucesso quando chegar lá;
- medo de ser boa, mas não ótima;
- medo de não ser eficiente a ponto de crescer muito;
- medo de ter de escolher entre minha carreira atual e este negócio;
- medo de ir com tudo e depois perder ou desmoronar;
- medo de saturação;
- medo de perder minha rede para outra pessoa;
- medo de não ser boa para todos;
- medo de não ser uma boa líder para minha equipe;
- medo de não ser tão boa na mentoria quanto minha mentora;
- medo de não conseguir realizar ligações triangulares;
- medo do desconhecido;
- medo de nunca conseguir me aposentar porque fui covarde, me cansei demais ou me distraí demais;
- medo de deixar o "Não posso" vencer o "Posso, sim".

Como sou inerentemente uma "consertadora" e advogada por formação, minha primeira tendência foi mostrar a falácia de todos esses medos. É claro que eu poderia destacar por que cada um deles não sobrevive à análise intelectual e aí elas poderiam superá-los, se dedicar à APR sem receios e ter grande sucesso. No mínimo, eu poderia ressaltar que essa lista é cômica, mostrando que muitos desses medos são argumentos do tipo o ovo e a galinha (se eu não tentar, não vou fracassar) ou, em muitos casos, defendem os dois lados do debate. Se eu pudesse ajudar essas integrantes da equipe a entender melhor seus medos, talvez elas conseguissem aquietar as vozes negativas que ouvem dentro de sua cabeça. Talvez, se entendessem de fato a realidade por trás de seus medos, fosse mais fácil juntar coragem, e essa coragem pode ser mais poderosa do que aquilo que as segura.

Mas não posso consertar os medos delas nem os medos de ninguém, e é claro que não posso desfazê-los com argumentos. O medo não é intelectual, pragmático nem racional. O medo é emocional. Como a incrível Elizabeth Gilbert escreveu em seu épico *Grande magia*, o medo sempre vai aparecer quando lutamos por coisas grandes e corremos riscos, porque "o medo *odeia* resultados incertos [...] Isso é totalmente natural e humano". Ele sempre vai aparecer, mas ainda bem que ela acrescenta: "Não é, de jeito nenhum, razão para se envergonhar."

Coragem é uma exigência de rotina para construir nosso negócio. Como o medo sempre vai aparecer quando embarcamos no desconhecido e estamos prestes a criar algo novo e possivelmente fabuloso capaz de mudar nossa vida, o medo e a coragem não se excluem mutuamente. E não é só Liz Gilbert que sabe disso. Nelson Mandela também. Ele disse: "Aprendi que a coragem não era a ausência de medo, mas o triunfo sobre ele. O homem (*ou mulher*) corajoso não é aquele que não sente medo, mas o que vence esse medo." Em outras palavras, o corajoso age *apesar* do medo.

Portanto, a ótima notícia sobre o medo é: nosso trabalho não é discutir com ele, consertá-lo nem fugir dele. Nosso trabalho é agir apesar dele.

Mas, para agir repetidamente apesar do medo, nosso desejo de correr atrás dos sonhos precisa ser mais forte do que o medo que nos paralisa. Para que, como Bebe, dancemos porque temos que dançar.

Steven Pressfield, autor de *A guerra da arte*, concorda que, na verdade, o medo é um sinal de que temos que agir. "Quanto mais medo temos de um trabalho ou chamado, mais certeza podemos ter de que temos que fazê-lo", escreve ele. "Quanto mais medo sentimos de um empreendimento específico, mais certeza podemos ter de que esse empreendimento é importante para nós e para o crescimento de nossa alma."

Eu tive medo durante toda a minha vida adulta. Quando agi apesar do medo, foi porque meu desejo de crescer, me superar, sonhar e realizar era muito maior do que ele. O medo não desapareceu. Eu só disse: "O medo que se dane, vou fazer." Se foi assustador largar uma carreira que não combinava comigo (advogada) e uma cidade que não era a certa (Dallas) e acabar, profissional e pessoalmente, em Nova York sem emprego nem lugar para morar? É claro. Mas eu queria ter muito mais do que minha vida cotidiana. Além de dar uma grande mordida na Big Apple, a grande maçã que é Nova York, eu também queria devorar mais da minha vida.

Se eu estava apavorada ao começar um negócio paralelo no canal de venda direta depois de mais de 12 anos de trabalho bem-sucedido, respeitado e premiado nas relações públicas? Pode apostar que sim. O nó na boca do meu estômago estava apertadinho por todas as razões que uma iniciativa dessas assusta você. Mas os sonhos que eu tinha para a vida que realmente desejava ter eram muito maiores. Tenho uma longa história de respirar fundo, confiar na minha intuição e avançar através do medo para conseguir coisas melhores. #OMedoQueSeDane.

> Nosso trabalho não é discutir com o medo, consertá-lo nem fugir dele. Nosso trabalho é agir apesar dele.

Acho que é porque o maior de todos os meus medos obscureceu todos os medos pequenos. Minha citação preferida de Maya Angelou resume perfeitamente: "Não há agonia maior do que ter dentro de si uma história não contada." O que me assusta mais do que tudo é não ter a vida que estou destinada a ter. Não tocar as vidas que eu deveria tocar. Não ensinar nossos filhos a correr atrás de seus sonhos e viver sua verdade.

Você terá medos. Todas teremos. Mas faça os medos maiores e mais barulhentos girarem em torno disto: o medo do que vai perder se não correr atrás de seus sonhos.

Você tem coragem de viver a vida por inteiro? Tenho quase certeza de que sim.

ALGUMAS PALAVRAS FINAIS

Estas são joias realmente valiosas que aprendi e que tinha que compartilhar com você, mas não consegui imaginar onde mais eu poderia encaixá-las. Então, aí vão.

Embora possamos trabalhar em casa com uma *legging* confortável todos os dias, simplesmente não devemos. Essas coisas esticam e fica mais difícil perceber como relaxamos na tarefa de fechar a boca. Então, quando chega a hora de vestir shorts de alfaiataria ou roupa de banho (pausa para um grito histérico), nos damos conta da falsa sensação de segurança que tínhamos pelo fato de a tal *legging* ainda caber, embora nenhuma das outras roupas sem lycra caiba. Faça um favor a si mesma e prometa só usar roupa de ginástica quando for mesmo fazer ginástica – maldita moda de lazer esportivo! –, e vista roupas estruturadas imediatamente depois do dito esforço atlético.

Quando estiver obtendo cada vez mais sucesso em sua empresa e até na profissão como um todo, não se prenda à sua propaganda pessoal. Não persiga elogios e reconhecimento. Não tente ser a melhor, a mais rápida, a que mais ganha, a bambambã. Tente ser a melhor que *você* pode ser todos os dias, por você, pelas pessoas que ama e por sua equipe. Talvez isso não renda um título na empresa, mas há um título na vida: Líder Servidor.

Não use pulseiras de metal quando fizer apresentações, seja para cinco pessoas na sala de estar, seja para 550 em um grande auditório. Elas são ruidosas e causam distração.

Não entregue tudo de mão beijada. Minha mãe sempre me disse: "Nunca vão comprar a vaca se conseguirem o leite de graça." É claro que ela se referia a mim e aos namorados, mas isso tem uma aplicação preciosa em nosso negócio. Com muita frequência, vejo profissionais alardeando que seus produtos ou sua oportunidade de negócios são ótimos, e aí oferecem amostras grátis e descontos para bater metas ou finalmente conseguir atrair aquela pessoa que juram que será seu próximo cavalo de corrida. Lembre-se de que você procura pessoas que vejam o que você vê e se disponham a investir dinheiro para gozar dos benefícios de seus produtos ou das possibilidades de seu negócio. Se der descontos mais vezes do que como isca ocasionalmente, você estará diluindo tudo o que tem a oferecer. Você tem valor, assim como seus produtos e a oportunidade de negócios. Acredite nisso e todo mundo também acreditará.

Quando posar para fotos (neste negócio publicamos muitas fotos), não fique em pé com os braços esticados ao lado do corpo. Isso faz até os braços mais finos e com mais tônus parecerem gordos. Dobre suavemente o cotovelo. Li esse conselho valioso de Kim Kardashian em algum lugar, e ela tem razão. Só sobre isso.

Quando uma de suas amigas íntimas ou familiares desdenhar seu negócio, e haverá pelo menos uma que vai fazer isso, simplesmente diga que não espera que ela compre seus produtos nem que se junte à sua equipe. Mas que espera ter apoio e respeito. "Sei que há mais coisas no mundo para mim", diga, "e fico contente por ter coragem e garra para correr atrás. Você não fica contente por mim?" Então deixe que façam o que quiserem, porque o que fazem não tem nada a ver com você. E receba essa pessoa de braços abertos quando ela precisar de seu produto ou serviço ou quando precisar substituir a renda do emprego ou do marido que acabou de perder.

Caso se sinta culpada por não colocar os filhos para dormir algumas noites da semana porque estava correndo atrás de uma promoção ou ajudando alguma integrante da equipe a se qualificar para um grande incentivo, talvez se surpreenda com o impacto que está causando no pensamento e no futuro deles. Nossos filhos sempre demonstram, de um jeito grande ou pequeno, que nosso empreendimento e todo o trabalho duro que o acompanha influencia a visão de mundo deles. Eles enxergam o que é possível para eles, o poder de trabalhar com afinco e nunca desistir.

Quando terminei de escrever o primeiro rascunho deste livro, fechei o notebook e comecei a gritar para John e as crianças. Com lágrimas incontroláveis, berrei: "Acabei de escrever um livro! Acabei de escrever um livro!" As crianças se sentaram na escada comigo enquanto John nos olhava com um grande sorriso no rosto.

– Desculpem, trabalhei muito, mas eu queria mesmo fazer isso. Eu precisava fazer isso – disse, soluçando.

Entre beijos e abraços, Nate (que tem 10 anos, mas parece ter 70) e Bebe (que tem 7, mas parece ter 15) me disseram que minha realização era "incrível" e "fabulosa" e que se orgulhavam muito de mim.

– Viram o que podem fazer, crianças, se acreditarem em vocês e seguirem seus sonhos? – perguntei retoricamente entre muitas lágrimas.

– Eu sabia que você ia conseguir – disse Nate, me olhando com aqueles imensos olhos cor de chocolate.

E eu sei que VOCÊ também consegue.

Bj,

AGRADECIMENTOS

Um livro, como um negócio de marketing multinível bem-sucedido, não acontece por causa de uma única pessoa. E toda a sabedoria que tentei compartilhar não surgiu por minha causa. É por causa das incontáveis dádivas que recebi de muita gente que moldou meu modo de pensar, o que sei e quem sou. Se não fossem todas as pessoas que vou listar, este livro não existiria.

À minha irmã Connie, cuja melhor amiga Ilene tinha uma amiga Susie que precisava de uma profissional de relações públicas e me contratou e então me falou de seu trabalho paralelo. Foi assim que tudo começou. Sinto uma gratidão enorme por todas vocês por me levarem ao amor profissional de minha vida.

Sou eternamente grata à Dra. Katie Rodan e à Dra. Kathy Fields e a seus maridos Amnon Rodan e Dr. Garry Ryant por experimentarem este modelo de negócios e confiar seu legado a pessoas como eu. Obrigada por construírem outra história de sucesso global e convidar todas nós a pegar carona. Além de mudar minha pele, vocês mudaram minha vida.

A Nicole Cormany, obrigada por ser a primeira a embarcar nesta louca aventura comigo e depois aposentar seu Josh para serem um dos casais pioneiros de nossa empresa. Aprendi muitíssimo trabalhando com você e adorei observá-la transformar seu negócio e sua cultura de Cormany e Cia. em um lindo reflexo seu.

À minha ex-chefe Bridget Cavanaugh, agora minha colega na Bossabe, que deixou este trabalho muito mais divertido. Você me inspira o tempo todo a aumentar minha aposta e tem sido a parceira e colaboradora que qualquer CEO desejaria. Adoraria ver suas Dreamatologists – as dermatologistas dos sonhos – sonharem mais alto e se transformarem em profissão. Estou muito contente porque este trabalho reuniu mais intimamente você, seu Arnie, John e eu, e obrigada por ser meu baboseirômetro e uma das minhas maiores incentivadoras.

A Kim Krause, serei eternamente grata por nossa cúpula de Atlanta que originou uma amizade rica, com longas conversas e debates rigorosos sobre negócios e sobre a vida, muita dança, comida e grande respeito. Muitos de nossos momentos lindos e hilariantes neste negócio envolvem você e seu incomparável Rick. Você e sua equipe estão no centro de nosso sucesso, e sempre vou comemorar o dia de sua adesão.

A Dorrit Karl, ainda estou zonza porque você me escolheu para ser sua mentora e estou muito orgulhosa de sua garra e sua coragem de continuar indo mais fundo. Seu potencial é ainda mais alto do que você, e mal posso esperar para ver o que fará em seguida por si mesma, suas meninas, seu Scott e sua equipe enquanto continua a projetar sua BIGLife.

A Amy Byrd e Marissa McDonough, minhas parceiras de hilaridade de fim de mês no Voxer (e em muitos outros dias também), simplesmente não sei o que faria sem vocês. Obrigada por manterem tudo real, me fazerem rir e elevarem a arte da mãe que trabalha.

A Linda Lackey Ray, você deslumbra o mundo e quem tem a sorte de conhecê-la. Jamie Petersen e Jen Griswold, vocês redefiniram o que significa Dar em nosso negócio. Eu as saúdo e as adoro. À superclassuda, superinteligente e absurdamente engraçada Christy Nutter, é muito divertido aprender com você. Laura Meijer, você me fez pensar de um jeito diferente sobre quão rápido um início rápido pode ser enquanto exercitava seus quadríceps usando um salto altíssimo. Lisa Ross, adoro o modo como nos entendemos e o modo como você sempre me faz pensar com a cabeça e o coração. Todas vocês recarregam minhas baterias.

Uma das maiores dádivas que este negócio nos trouxe foram vocês, Amy e Nick Hofer. Vocês, Grace e Hailey são da família, e seu amor e seu incentivo para eu escrever este livro me mantiveram na linha.

A Betsy Swartz, Erica MacKinnon, Debra Whitson, Pamela Mulroy, Amy Kearney, Tracy Willard, Jennifer Weatherbee, Dayna Chmelka, Brenda Flores, Kris Vandersloot, Candace Berde, Tracy Cater, Nicole Hartnell, Cindy Rutherford, Caryn Smith, Tricia Schatz, Elizabeth Doyle, Christa Wagner, Nina Perez, Penny Lind, Karis Campbell, Wendy Martin, Debra Santosusso, Emma Evans, Kirsten Dawson, Melissa Callahan e April Gadberry, obrigada por acreditarem em vocês e em mim e por me ensinarem tanto sobre o que significa ser uma líder servidora. E Lauren Myers, obrigada por me lembrar do que é a força.

Às decuplicadoras da equipe PBYou, sua colaboração, suas ideias e sua hilaridade me deixaram mais apaixonada por vocês todas e pelo que faço. Nunca se esqueçam de que vocês nasceram para brilhar.

Ao restante de nossa equipe, obrigada por continuarem a me inspirar a ser melhor e a servi-las melhor. Todos os dias sou Powered By You – movida por vocês.

A todas as pessoas que não se uniram a mim no negócio, ou se uniram e saíram, vocês me ensinaram tanto quanto as histórias de sucesso, e sou grata por isso.

A minha querida amiga Lori Bush, obrigada por me ensinar que nosso verdadeiro poder surge quando somos autênticas sem dar desculpas, temos uma visão inquebrantável e dedicamos a vida profissional a fazer os outros decolarem. E que não há problema em ser um biscoito duro por fora e molinho por dentro, que chora quando vê os outros fazerem grandes coisas. Devo boa parte de meu sucesso à sua paixão pela paisagem ilimitada que é o comércio comunitário e seu trabalho incansável em nossa empresa.

A Leslie Zann, obrigada por me escolher. Quando trabalhou em nossa empresa, você poderia ter escolhido qualquer um como mentor. Mas escolheu esta novata e me deu mais confiança para aceitar minha própria voz poderosa. Dou muito valor à sua sabedoria, seu humor, sua ética e à nossa amizade.

A Oran Arazi-Gamliel, por me dar o braço nos primeiros dias de minha nova carreira e por me ensinar algumas lições valiosíssimas.

Meredith Tieszen, minha alma-irmã em Montana, obrigada por tudo que eu nem conseguiria escrever. Sempre teremos RegimenGate.

A Richard Bliss Brooke, obrigada não só por ser o caubói do bem, mas também por incorporar tudo o que isto representa. E por me lembrar, com gentileza e persistência, de parar de atrapalhar a mim mesma.

A Sonia Stringer, que me ajudou a reencontrar minha voz e meus limites e manobrar pelos campos minados que o sucesso traz. Você é tão elegante quanto ética, e adoro seu compromisso contagiante de dar poder às mulheres do mundo inteiro.

A Ianthe Andress, obrigada por tentar, de longe, me manter organizada. Adoro ter sua voz australiana alegre no outro lado do telefone, e lhe agradeço por sempre me dar cobertura. Linda Branson, você preenche todos os espaços vazios que deixo para trás (e são muitos) e me possibilitou ter tempo para escrever sem que tudo desmoronasse. Também tornou possível que John e eu viajássemos para nos tornarmos consultores incríveis ou só para termos um pouco de paz e tranquilidade. Em muitíssimos dias, sou movida a Linda, e não conseguiria viver por completo sem você.

A Lyla Held, minha professora de inglês e redação do quinto e do sexto anos: você me ajudou a me apaixonar pela escrita e me ajudou a acreditar que eu tinha algo a dizer. A Bryce Nelson, meu amado professor de jornalismo, você lamentou quando eu lhe disse que iria para a faculdade de direito. Mas acabei encontrando minha vocação, que envolve contar muitas histórias importantes. Espero que se orgulhe de mim.

A Loren Robin, Kimmy Merrill Brooke, Margie Aliprandi, Pamela Barnum, Michelle Fraser, Aimee Crist, Jules Price, Janine Finney, Lory Muirhead, Karla Silver e Sarah Zolecki, por provarem que nossa profissão nos traz uma irmandade extremamente colaborativa e apoiadora que não se limita à nossa empresa. Adoro ficar lado a lado com vocês e espalhar o bem pelo mundo. E rir. Muito.

A todos os chefes que já tive, me desculpem. Sei que provavelmente fui uma chata de galocha. Acontece que nasci para ser minha própria chefe. Saibam que meu espírito empreendedor, que provavelmente enlouqueceu vocês, tem feito muito bem aos outros.

À minha mãe, Dee Rudolph, que sempre me disse que eu conseguiria realizar tudo o que, para você, nunca foi opção. Obrigada por me animar tanto enquanto eu construía meu negócio e escrevia meu livro. E por segurar mais ou menos minha culpa judia quando minha escrita me impediu de visitá-la com frequência.

A Newt Rudolph, meu querido pai, gosto de acreditar que você está vendo tudo isto e desconfio que deu uma mãozinha. Embora só tenha estado com você durante 28 anos, ainda o ouço todos os dias.

Escrever pode ser solitário. Portanto, Sadie, nossa *labradoida*, agradeço por me fazer companhia e esquentar meus pés. Agora que este negócio está pronto, juro levar você mais vezes ao parque.

Ao meu Parceiro em Tudo, obrigada pelas revisões incansáveis, por não revirar os olhos quando descumpri mais um prazo, por acreditar que eu conseguiria mesmo quando eu mesma não acreditava. E por sempre me ajudar a assumir minha verdade. Amo você e amo planejar esta vida ao seu lado.

CONHEÇA OUTRO LIVRO DA EDITORA SEXTANTE

Garota, pare de mentir pra você mesma
Rachel Hollis

Este livro é sobre um monte de mentiras nocivas e uma verdade importante. A verdade? Você, somente você, é responsável por quem se tornará e pelo quanto é feliz. Essa é a lição.

É preciso identificar – e destruir sistematicamente – cada mentira que contou a si mesma a vida inteira. Por quê? Porque é impossível ir a um lugar novo, ou tornar-se algo diferente, sem primeiro identificar onde você está.

Você já acreditou que não era boa o suficiente? Que não era magra o suficiente? Que não era digna de ser amada? Que era péssima mãe? Já achou que merecia ser maltratada? Que nunca chegaria a lugar nenhum?

Essas mentiras são perigosas. O mais assustador é que raramente as ouvimos, porque elas ecoam em nossos ouvidos tão alto e por tanto tempo que se tornam uma espécie de ruído branco.

Mas se formos capazes de identificar a principal razão de nossas dificuldades, e ao mesmo tempo entender que temos condições de superá-las, poderemos mudar totalmente nossa trajetória.

Portanto, pare de se maltratar e não deixe que os outros a maltratem. Pare de se menosprezar. Pare de comprar coisas que não tem como pagar só para impressionar pessoas de quem nem gosta. Pare de reprimir seus sentimentos em vez de refletir sobre eles. Pare de comprar o amor de seus filhos com comida, brinquedos ou camaradagem porque é mais fácil do que agir como mãe. Pare de abusar do seu corpo e da sua mente.

Simplesmente pare!

Para saber mais sobre os títulos e autores
da Editora Sextante, visite o nosso site.
Além de informações sobre os próximos lançamentos,
você terá acesso a conteúdos exclusivos
e poderá participar de promoções e sorteios.

sextante.com.br